[제 3 판]

보험수리학

정답과 해설

이항석 · 권혁성

法 文 社

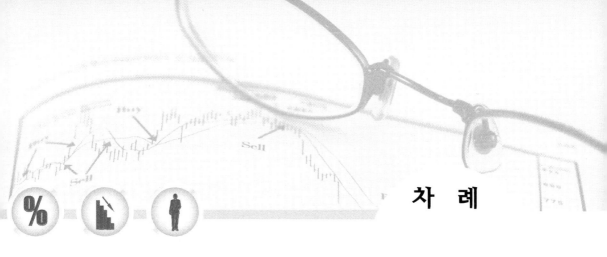

차 례

정답과 해설

0장 이자론 기초

문제 1번

답 (1) 그래프 생략

(2) $0 < t < 1$

(3) 최대가 되는 시점: $\log_{(1+i)} \dfrac{i}{\ln(1+i)}$,

누적가치의 차이: $1 + i \log_{(1+i)} \dfrac{i}{\ln(1+i)} - \dfrac{i}{\ln(1+i)}$

(1) 그래프 생략

(2) 그래프를 그려보면 $0 < t < 1$의 구간에서 단리법의 누적가치가 복리법의 누적가치보다 크다는 것을 확인할 수 있다.

(3) $0 < t < 1$ 구간에서 단리법의 누적가치와 복리법의 누적가치의 차이가 최대가 되는 지점을 구하려면 복리 그래프 $y_1 = (1+i)^t$의 기울기가 단리 그래프 $y_2 = 1 + it$의 기울기와 같아지는 지점을 찾으면 된다.

$\dfrac{dy_1}{dt} = \ln(1+i) \times (1+i)^t$이므로 이것이 $\dfrac{dy_2}{dt} = i$와 같게 만들어주는 t값을 구해주면 된다.

$\ln(1+i) \times (1+i)^t = i$

$(1+i)^t = \dfrac{i}{\ln(1+i)}$

$$t \times \ln(1+i) = \ln \frac{i}{\ln(1+i)}$$

$$t = \frac{\ln \dfrac{i}{\ln(1+i)}}{\ln(1+i)} = \log_{(1+i)} \frac{i}{\ln(1+i)}$$

$$y_1 = (1+i)^t = (1+i)^{\log_{(1+i)} \frac{i}{\ln(1+i)}} = \frac{i}{\ln(1+i)}$$

$$y_2 = 1 + it = 1 + i \log_{(1+i)} \frac{i}{\ln(1+i)}$$

그러므로 단리법의 누적가치와 복리법의 누적가치의 차이가 최대가 되는 시점은 $\log_{(1+i)} \dfrac{i}{\ln(1+i)}$ 이고, 그 시점에서의 누적가치의 차이는 $y_2 - y_1 = 1 + i \log_{(1+i)} \dfrac{i}{\ln(1+i)} - \dfrac{i}{\ln(1+i)}$ 이다.

문제 2번

 (1) 1,240,747.378

(2) 1,220,000

(3) 1,384,233.871

(4) 1,244,715.860

풀이

(1) $1,000,000(1+0.04)^{5.5} = 1,240,747.378$

(2) $1,000,000(1+5.5 \times 0.04) = 1,220,000$

(3) $1,000,000(1.03)^{5.5 \times 2} = 1,384,233.871$

(4) $1,000,000(1.01)^{5.5 \times 4} = 1,244,715.860$

문제 3번

 (1) 0.00498

(2) 0.00848

(3) 0.02912

(4) 0.00995

(5) 0.03023

풀이

(1) 월이율 $= (1 + 분기이율)^{\frac{1}{3}} - 1 = (1.015)^{\frac{1}{3}} - 1 = 0.004975$

(2) 월이율 $=(1+분기할인율)^{-\frac{1}{3}}-1=(1-0.025)^{-\frac{1}{3}}-1=0.008475$

(3) 분기할인율 $=1-\left[\left(1+\dfrac{0.12}{4}\right)^{-4}\right]^{\frac{1}{4}}=1-(1.03)^{-1}=0.0291262$

(4) 분기할인율 $=1-\left[\left(e^{0.04}\right)^{-\frac{1}{4}}\right]=0.009950$

(5) 이력 $=\ln\left[\left(1-\dfrac{0.03}{2}\right)^{-2}\right]=0.0302272276$

문제 4번

 답 5.295

풀이

철수는 연이율 5% 단리 이율인 펀드 A에 현재 10을 적립하고, 5년후 20을 적립하고자 한다.

펀드 A의 미래가치는 다음과 같다.

$FV_A=10(1+15\times 0.05)+20(1+10\times 0.05)=47.5$

영희는 연이율 3% 복리이율인 펀드 B는 n년 후 10, 2n년 후 30을 적립하고자 한다.

펀드 B의 미래가치는 다음과 같다.

$FV_B=10(1.03)^{15-n}+30(1.03)^{15-2n}$

$FV_A=FV_B$ 인 n값을 구하자. $(1.03)^{15}\approx 1.558$이고, $x=(1.03)^{-n}$으로 놓는다.

$47.5=10\times 1.558\times x+30\times 1.558\times x^2$

$46.74x^2+15.58x-47.5=0$

$x=\dfrac{-15.58\pm\sqrt{(15.58)^2-4\times 46.74\times(-47.5)}}{2\times 46.74}$

$x=\dfrac{-15.58\pm\sqrt{242.7364+8,880.6}}{93.48}=\dfrac{-15.58\pm\sqrt{9,123.3364}}{93.48}$

$x_1=\dfrac{-15.58+\sqrt{9,123.3364}}{93.48}=0.85511508,$

$x_2=\dfrac{-15.58-\sqrt{9,123.3364}}{93.48}=-1.18844887$

$x=(1.03)^{-n}\ (n>0)$이므로, $x>0$이다. 그러므로 $x=0.85511508$이다.

$x=0.85511508=(1.03)^{-n}$

$\ln(0.85511508)=-n\times\ln(1.03)$

$\therefore\ n=-\left[\ln(0.85511508)\div\ln(1.03)\right]=5.295$

문제 5번

답 16,666,667원

풀이 --

$$10,000,000(1-dt)^{-1} = 10,000,000(1-0.04 \times 10)^{-1} = 16,666,667$$

그러므로 10년 후 시점에서의 누적가치는 16,666,667원이다.

문제 6번

답 409,838.217원

풀이 --

현재 저축계좌에 50만원을 투자하고 1년 후 5만원을 인출하고, 2년 후 15만원을 인출한다.

이 흐름을 수식화하면 다음과 같다.

$$\left[\{500,000 \times (1-0.05)^{-1} - 50,000\} \times (1-0.05)^{-1} - 150,000\right] \times (1-0.05)^{-3}$$
$$= 409,838.2173$$

따라서 5년 후 저축계좌의 잔고는 409,838.2173원이다.

문제 7번

답 19,606.760원

풀이 --

2개월 복리를 적용하는 연 명목이율이 12%이므로 $i^{(6)} = 12\%$이다.

$$10,000\left[\left(1+\frac{i^{(6)}}{6}\right)^6\right]^{5+\frac{8}{12}} = 10,000\left[\left(1+\frac{0.12}{6}\right)^6\right]^{\frac{68}{12}} = 19,606.760원$$

문제 8번

답 1,109,978.509원

풀이 --

$$500,000\left[\left(1+\frac{i^{(2)}}{2}\right)^2\right]^{10+\frac{2}{12}} = 500,000\left[\left(1+\frac{0.08}{2}\right)^2\right]^{\frac{122}{12}} = 1,109,978.509원$$

문제 9번

답 실효이율 0.00742, 발생이자 7,927.135

실효이율 = $\dfrac{(\text{해당기간 중 발생이자})}{(\text{해당기간 초 가치})}$ 이므로 10월중 발생이자와 해당기간 10월

초 가치를 구해야 한다.

10월 초 가치 $= 1,000,000 \times \left(1 + \dfrac{i^{(12)}}{12}\right)^9 = 1,000,000 \left[\left(1 + \dfrac{i^{(3)}}{3}\right)^{\frac{1}{4}}\right]^9$

$$= 1,000,000 \left(1 + \dfrac{0.09}{3}\right)^{\frac{9}{4}} = 1,068,768.711$$

10월 중 발생이자 $= 1,000,000 \times \left(1 + \dfrac{i^{(12)}}{12}\right)^{10} - 1,000,000 \times \left(1 + \dfrac{i^{(12)}}{12}\right)^9$

$$= 1,000,000 \left[\left(1 + \dfrac{i^{(3)}}{3}\right)^{\frac{1}{4}}\right]^{10} - 1,000,000 \left[\left(1 + \dfrac{i^{(3)}}{3}\right)^{\frac{1}{4}}\right]^9 = 7,927.135$$

실효이율 $= \dfrac{7,927.1950}{1,068,768.711} = 0.00741712$

문제 10번

답 월 이율 최솟값 0.00412

$\left(1 + \dfrac{i^{(2)}}{2}\right)^2 < \left(1 + \dfrac{i^{(12)}}{12}\right)^{12}$

$\left(1 + \dfrac{0.05}{2}\right)^2 < \left(1 + \dfrac{i^{(12)}}{12}\right)^{12}$

여기서 월이율인 $\dfrac{i^{(12)}}{12}$ 의 최솟값을 구해주면 된다.

$\dfrac{i^{(12)}}{12} > \left[\left(1 + \dfrac{0.05}{2}\right)^{\frac{1}{6}} - 1\right] = 0.004124$

그러므로 월이율은 0.004124보다 큰 값이어야 한다.

문제 11번

답 해설 참조

(1) (pf) $d = 1 - \dfrac{1}{1+i} = \dfrac{i}{1+i} \Rightarrow \dfrac{1}{d} - \dfrac{1}{i} = \dfrac{1+i}{i} - \dfrac{1}{i} = \dfrac{i}{i} = 1$

(2) (pf) $\left(1 - \dfrac{d^{(m)}}{m}\right)^{-m} = \left(1 + \dfrac{i^{(m)}}{m}\right)^m \Rightarrow \left(1 - \dfrac{d^{(m)}}{m}\right)^{-1} = \left(1 + \dfrac{i^{(m)}}{m}\right)$

$$\Rightarrow \left(\dfrac{m - d^{(m)}}{m}\right)^{-1} = \dfrac{m}{m - d^{(m)}} = \dfrac{m + i^{(m)}}{m}$$

$$\dfrac{m}{m - d^{(m)}} = \dfrac{m + i^{(m)}}{m} \Rightarrow \left(m - d^{(m)}\right)\left(m + i^{(m)}\right) = m^2$$

$$\Rightarrow m^2 + \left(i^{(m)} - d^{(m)}\right)m - i^{(m)}d^{(m)} = m^2$$

$$\Rightarrow \left(i^{(m)} - d^{(m)}\right)m = i^{(m)}d^{(m)}$$

$$\Rightarrow \dfrac{1}{d^{(m)}} - \dfrac{1}{i^{(m)}} = \dfrac{1}{m}$$

(3) (pf) $\left(1 + \dfrac{i^{(m)}}{m}\right)^m = 1 + i \Rightarrow 1 + \dfrac{i^{(m)}}{m} = (1+i)^{\frac{1}{m}}$

By (2) $d^{(m)} = \dfrac{m \; i^{(m)}}{m + i^{(m)}} = \dfrac{i^{(m)}}{1 + \dfrac{i^{(m)}}{m}} \Rightarrow d^{(m)}(1+i)^{\frac{1}{m}} = i^{(m)}$

문제 12번

답 0.045

 풀이

A가 현재 시점에 적립하는 10과 15년 후 적립하는 20의 미래가치를 각각 계산해서 더해준 값이 100이 되도록 식을 세워주자.

$$FV_{10} = 10\left[\left\{\left(1 - \dfrac{d^{(4)}}{4}\right)^{-4}\right\}^{10} \times \left\{\left(1 + \dfrac{i^{(2)}}{2}\right)^2\right\}^{20}\right]$$

$$= 10\left[\left\{\left(1 - \dfrac{d^{(4)}}{4}\right)^{-4}\right\}^{10} \times \left\{\left(1 + \dfrac{0.06}{2}\right)^2\right\}^{20}\right]$$

$$FV_{20} = 20\left[\left(1 + \dfrac{i^{(2)}}{2}\right)^2\right]^{15} = 20\left[\left(1 + \dfrac{0.06}{2}\right)^2\right]^{15}$$

$$FV_{10} + FV_{20} = 100$$

$$10\left[\left\{\left(1 - \dfrac{d^{(4)}}{4}\right)^{-4}\right\}^{10} \times \left\{\left(1 + \dfrac{0.06}{2}\right)^2\right\}^{20}\right] + 20\left[\left(1 + \dfrac{0.06}{2}\right)^2\right]^{15} = 100$$

$$10\left[\left\{\left(1 - \dfrac{d^{(4)}}{4}\right)^{-4}\right\}^{10} \times \left\{\left(1 + \dfrac{0.06}{2}\right)^2\right\}^{20}\right] = 51.4548$$

$$10\left(1 - \dfrac{d^{(4)}}{4}\right)^{-40} = 15.7738$$

$$\left(1-\frac{d^{(4)}}{4}\right)^{-40} = 1.57738$$

$$\therefore \ d^{(4)} = 0.045318$$

문제 13번

 답 (1) 0.027

(2) 946.62

풀이 --

(1) $a(t) = \exp \int_0^t \left(0.02 + \frac{0.015s}{s+3}\right) ds$

$\qquad = \exp \int_0^t \left(0.02 + \frac{0.015(s+3)-0.045}{s+3}\right) ds$

$\qquad = \exp\left[0.035s - 0.045\ln(s+3)\right]_0^t$

$\qquad = \exp(0.035t - 0.045\ln(t+3) + 0.045\ln 3)$

$\qquad = \exp\left(0.035t + 0.045\ln \frac{3}{(t+3)}\right)$

$\qquad = e^{0.035t} \times \left(\frac{3}{t+3}\right)^{0.045} \qquad (\because \ \exp(\ln a) = a)$

$a(t) = e^{0.035t} \times \left(\frac{3}{t+3}\right)^{0.045}$

$a(0) = 1, \ a(5) = e^{0.175} \times \left(\frac{3}{8}\right)^{0.045} = 1.1398 = i_5$ (5년간 실효이율)

연평균 실효이율: i

$(1+i)^5 = 1.1398$

$i = 1.1398^{\frac{1}{5}} - 1$

$\therefore \ i = 0.0265$

(2) $a(t) = e^{0.035t} \times \left(\frac{3}{t+3}\right)^{0.045}$

$a(2) = e^{0.07} \times \left(\frac{3}{5}\right)^{0.045} = 1.0481$

$a(4) = e^{0.14} \times \left(\frac{3}{7}\right)^{0.045} = 1.1072$

$\frac{a(4)}{a(2)} = \frac{1.1072}{1.0481} = 1.0564$

$1.0564 \times A(2) = 1,000$

$$\therefore \ A(2) = 946.62$$

문제 14번

답 0.076

풀이 -

이력이 범위마다 다르기 때문에 $\dfrac{a(10)}{a(0)}$ 과 $\dfrac{a(20)}{a(10)}$ 을 각각 구해야 한다.

(i) $\dfrac{a(10)}{a(0)}$ $(0 \leq t \leq 10)$

$$a(t) = e^{\int_0^t 0.01 s ds} = e^{\left[0.005 s^2\right]_0^t} = e^{0.005 t^2}$$

$$\frac{a(10)}{a(0)} = \frac{e^{0.5}}{1}$$

(ii) $\dfrac{a(20)}{a(10)}$ $(t > 10)$

$$a(t) = e^{\int_0^t 0.1 dt} = e^{0.1 t}$$

$$\frac{a(20)}{a(10)} = \frac{e^2}{e^1}$$

이렇게 20년간 1,000원을 투자한 수익이 분기복리 연 명목이율 $i^{(4)}$를 적용한 것과 동일해야 한다.

$$1{,}000 \left[\frac{e^{0.5}}{1} \times \frac{e^2}{e^1} \right] = 1{,}000 \left(1 + \frac{i^{(4)}}{4} \right)^{80}$$

$$e^{1.5} = \left(1 + \frac{i^{(4)}}{4} \right)^{80}$$

$$\therefore \ i^{(4)} = 0.075708$$

문제 15번

답 240,411.760

풀이 -

(i) 처음 5년

$$\left[\left(1 - \frac{d^{(5)}}{5} \right)^{-5} \right]^5$$

(ii) 그 이후 5년

$$a(t) = e^{\int_0^t \frac{1}{1+2s}ds} = e^{\left[\frac{1}{2}ln(1+2s)\right]_0^t} = e^{\frac{1}{2}ln(1+2t)} = \sqrt{1+2t}$$

$$\frac{a(10)}{a(5)} = \frac{\sqrt{21}}{\sqrt{11}}$$

(iii) 마지막 5년

$$\left[\left(1+\frac{i^{(12)}}{12}\right)^{12}\right]^5$$

현재 투자하는 금액을 A라 할 때,

$$A \times \left[\left(1-\frac{d^{(5)}}{5}\right)^{-5}\right]^5 \times \frac{a(10)}{a(5)} \times \left[\left(1+\frac{i^{(12)}}{12}\right)^{12}\right]^5 = 1,000,000$$

$$A \times \left[\left(1-\frac{0.1}{5}\right)^{-5}\right]^5 \times \frac{\sqrt{21}}{\sqrt{11}} \times \left[\left(1+\frac{0.12}{12}\right)^{12}\right]^5 = 1,000,000$$

$$\therefore \ A = 240,411.7600$$

문제 16번

 0.381

펀드 X에 주어진 이력을 이용하여 단위 종가함수를 구한다.

$$a(t) = e^{\int_0^t (0.03s + 0.1)ds} = e^{\left[0.015s^2 + 0.1s\right]_0^t} = e^{0.015t^2 + 0.1t}$$

$$a(20) = e^{0.015 \times (20)^2 + 0.1 \times 20} = e^8$$

X와 Y에 각각 100만원을 동시에 투자했을 때 20년 후 누적금액이 동일해야 한다.

$$1,000,000 \times a(20) = 1,000,000 \left[\left(1-\frac{d^{(4)}}{4}\right)^{-4}\right]^{20} = \left(1-\frac{d^{(4)}}{4}\right)^{-80}$$

$$1,000,000 \times e^8 = 1,000,000 \left(1-\frac{d^{(4)}}{4}\right)^{-80}$$

$$\therefore \ d^{(4)} = 0.38065$$

문제 17번

 0.078

(i) A은행

t번째 해인 시점 $(t-1)$에서 시점 t까지의 실효할인율은

$$d_{t-1,1} = \frac{a(t)-a(t-1)}{a(t)} = 0.015t+0.03$$

$$a(t)-a(t-1) = (0.015t+0.03)a(t)$$

$$a(t)(0.97-0.015t) = a(t-1)$$

$$\frac{a(t)}{a(t-1)} = \frac{1}{0.97-0.015t}$$

$$\frac{a(5)}{a(0)} = \frac{a(1)}{a(0)} \times \frac{a(2)}{a(1)} \times \frac{a(3)}{a(2)} \times \frac{a(4)}{a(3)} \times \frac{a(5)}{a(4)}$$

$$= \frac{1}{0.955} \times \frac{1}{0.94} \times \frac{1}{0.925} \times \frac{1}{0.91} \times \frac{1}{0.895} = 1.4786$$

(ii) B은행

$$a(t) = e^{\int_0^t \delta ds} = e^{\delta t}$$

$$\frac{a(5)}{a(0)} = e^{5\delta}$$

$$1.4786 = e^{5\delta}$$

$$\ln(1.4786) = 5\delta$$

$$\therefore \ \delta = 0.07822$$

문제 18번

📋 **답**　666,442.837

10년 시점의 누적가치를 알기 위해서는 현재 투자하는 금액(A)을 알아야 한다. 3 번째 해의 발생 이자가 10,000임을 이용하기 위해 이력을 이용한 누적함수 $a(t)$를 구한다.

$$a(t) = \exp\left(\int_0^t \delta_s \, ds\right) = \exp\left(\int_0^t 0.15\sqrt{s}\, ds\right) = \exp\left(0.1\left(t^{\frac{3}{2}}-1\right)\right)$$

3번째해 발생이자: $A[a(3)-a(2)] = 10,000$

$$a(3) = \exp\left(0.1\left(3^{\frac{3}{2}}-1\right)\right) = 1.5213761$$

$$a(2) = \exp\left(0.1\left(2^{\frac{3}{2}}-1\right)\right) = 1.2006255$$

$$\rightarrow A = 31,176.87736$$

10년 시점의 누적가치: $A \times a(10)$

$$a(10) = \exp\left(0.1\left(10^{\frac{3}{2}}-1\right)\right) = 21.3761895$$

$$\therefore \ A \times a(10) = 666,442.8371$$

문제 19번

답 $d^{(2)} >\ d^{(6)} > \delta > i^{(12)} > i^{(4)}$

풀이 --

$$1+i = \left(1 - \frac{d^{(6)}}{6}\right)^{-6} = \left(1 - \frac{0.07}{6}\right)^{-6} \rightarrow 실효이자율\ i = 0.07295$$

$$1+i = \left(1 + \frac{i^{(4)}}{4}\right)^{4} = \left(1 + \frac{0.07}{4}\right)^{4} \rightarrow 실효이자율\ i = 0.07186$$

$$1+i = e^{\delta} = e^{0.07} \rightarrow 실효이자율\ i = 0.07251$$

$$1+i = \left(1 - \frac{d^{(2)}}{2}\right)^{-2} = \left(1 - \frac{0.07}{2}\right)^{-2} \rightarrow 실효이자율\ i = 0.07385$$

$$1+i = \left(1 + \frac{i^{(12)}}{12}\right)^{12} = \left(1 + \frac{0.07}{12}\right)^{12} \rightarrow 실효이자율\ i = 0.07229$$

$\therefore$ 연 실효이율이 높은 순서: $d^{(2)} >\ d^{(6)} > \delta > i^{(12)} > i^{(4)}$

문제 20번

답 0.060

풀이 --

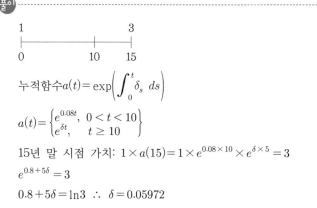

누적함수 $a(t) = \exp\left(\int_0^t \delta_s\ ds\right)$

$$a(t) = \begin{cases} e^{0.08t}, & 0 < t < 10 \\ e^{\delta t}, & t \geq 10 \end{cases}$$

15년 말 시점 가치: $1 \times a(15) = 1 \times e^{0.08 \times 10} \times e^{\delta \times 5} = 3$

$e^{0.8 + 5\delta} = 3$

$0.8 + 5\delta = \ln 3\ \therefore\ \delta = 0.05972$

문제 21번

답 (1) $\dfrac{4}{33}$

    (2) 1.175

풀이 --

(1) $a(t) = \exp\left(\int_0^t \delta_s \ ds\right)$

$$\delta_t = \frac{a'(t)}{a(t)} = \frac{\frac{1}{4}\left(1+2t^2\right)^{\frac{-3}{4}} \times 4t}{\left(1+2t^2\right)^{\frac{1}{4}}} = t\left(1+2t^2\right)^{-1}$$

$$\therefore \ \delta_4 = \frac{4}{33}$$

(2) $a(t) = \exp\left(\int_0^t \delta_s \ ds\right)$

$$\int_0^t \frac{0.1s^2}{1+s^3} ds = \frac{0.1}{3}\left[\ln\left(1+s^3\right)\right]_0^t = \frac{1}{30} ln\left(1+t^3\right)$$

$$a(t) = e^{\frac{1}{30}ln\left(1+t^3\right)} = \left(1+t^3\right)^{\frac{1}{30}}$$

$$\therefore \ a(5) = 126^{\frac{1}{30}} = 1.1749$$

문제 22번

📄 답 109,527.654만원

풀이 --

누적함수 $a(t) = \exp\left(\int_0^t \delta_s \ ds\right)$

3시점에서 투자한 100만원의 10시점에서의 누적가치 $= 100\left(\dfrac{a(10)}{a(3)}\right)$

$$a(t) = \exp\left(\int_0^t \delta_s \ ds\right) = \exp\left(\int_0^t \frac{e^{2t}}{1+e^{2t}} \ ds\right) = \left(\frac{1+e^{2t}}{2}\right)^{\frac{1}{2}}$$

$$\therefore \ 100\left(\frac{a(10)}{a(3)}\right) = 109,527.6540만원$$

문제 23번

📄 답 e

풀이

$$\delta_t = \frac{a'(t)}{a(t)} = \frac{\frac{1}{t} \times \ln t \times \exp\left(\frac{1}{2}(\ln t)^2\right)}{\exp\left(\frac{1}{2}(\ln t)^2\right)} = \frac{1}{t}\ln t$$

$$\frac{d}{dt}\delta_t = \frac{1}{t^2}(1-\ln t) = 0$$

$$\therefore \ t = e$$

$$\frac{d^2}{dt^2}\delta_t = -\frac{2}{t^3}(1-\ln t) - \frac{1}{t^3}$$

t에 e를 대입 $\rightarrow -\dfrac{1}{e^3} < 0$ (최대임을 확인)

문제 24번

답 해설 참조

풀이

(1) $(pf)\, a_{\overline{n}|i} = \dfrac{1-v^n}{i}$, $s_{\overline{n}|i} = \dfrac{(1+i)^n - 1}{i} = \dfrac{(1-v^n)(1+i)^n}{i}$ 일 때,

$$\frac{1}{a_{\overline{n}|i}} - \frac{1}{s_{\overline{n}|i}} = \frac{i}{1-v^n} - \frac{i}{(1-v^n)(1+i)^n}$$

$$= \frac{i(1+i)^n - i}{(1-v^n)(1+i)^n}$$

$$= \frac{i\{(1+i)^n - 1\}}{(1-v^n)(1+i)^n}$$

$$= \frac{i}{(1-v^n)} \times \frac{(1+i)^n - 1}{i} \times \frac{i}{(1+i)^n}$$

$$= \frac{1}{a_{\overline{n}|i}} \times a_{\overline{n}|i}(1+i)^n \times \frac{i}{(1+i)^n} = i$$

$$\therefore \ \frac{1}{a_{\overline{n}|i}} - \frac{1}{s_{\overline{n}|i}} = 1$$

(2) $(pf)\, \ddot{a}_{\overline{n}|i} = \dfrac{1-v^n}{d}$, $\ddot{s}_{\overline{n}|i} = \dfrac{(1+i)^n - 1}{d} = \dfrac{(1-v^n)(1+i)^n}{d}$ 일 때,

$$\frac{1}{\ddot{a}_{\overline{n}|i}} - \frac{1}{\ddot{s}_{\overline{n}|i}} = \frac{d}{1-v^n} - \frac{d}{(1-v^n)(1+i)^n}$$

$$= \frac{d(1+i)^n - d}{(1-v^n)(1+i)^n}$$

$$= \frac{d\{(1+i)^n - 1\}}{(1-v^n)\,(1+i)^n}$$

$$= \frac{d}{(1-v^n)} \times \frac{(1+i)^n - 1}{d} \times \frac{d}{(1+i)^n}$$

$$= \frac{1}{a_{\overline{n}|i}} \times a_{\overline{n}|i}(1=i)^n \times \frac{d}{(1+i)^n} = d$$

$$\therefore \ \frac{1}{\ddot{a}_{\overline{n}|i}} - \frac{1}{\ddot{s}_{\overline{n}|i}} = d$$

문제 25번

답 매 시점말에 이자 i만 따로 모아서 n년까지 부리시킨 값과, 복리로 투자했을 때 생긴 총 이자 값은 같다.

풀이

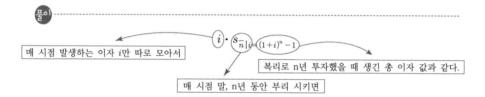

매 시점 발생하는 이자 i만 따로 모아서

$$(i) \cdot \left(s_{\overline{n}|i}\right) = (1+i)^n - 1$$

매 시점 말, n년 동안 부리 시키면

복리로 n년 투자했을 때 생긴 총 이자 값과 같다.

문제 26번

답 0.0372

풀이

24년 후 미래가치

선택1: $100(1+i)^{24}$

선택2: 연금수령액 x 일 때,

$$100 = x\,a_{\overline{24}|0.04} = x\frac{1-(1.04)^{-24}}{0.04} \rightarrow x = 6.6586831$$

24년 후 미래가치: $x\,s_{\overline{24}|0.035} = x\frac{(1.035)^{24}-1}{0.035} = 240.4841401$

$\rightarrow 100(1+i)^{24} = 240.4841401$

$\therefore \ i = 0.037238436$

문제 27번

답 306.997 만원 (약 307만원)

풀이 --

매달 할부지불하기 위한 한달 실효이율: $\dfrac{i^{(12)}}{12}$

$\left(1+\dfrac{i^{(12)}}{12}\right)^{12} = (1+i) = 1.045 \;\rightarrow\; \dfrac{i^{(12)}}{12} = 0.0036748 = j$

계약금 : x

$3{,}000$만원 $= x + 80$만원 $\times a_{\overline{36}|j}$

$a_{\overline{36}|j} = \dfrac{1-v^{36}}{j} = 33.6625339$

$\therefore$ 계약금 $x = 306.9972896$만원(약 307만원)

문제 28번

 답　68.396만원

 풀이 --

3년 말 시점 잔여 채무: $1000(1.05)^3 - 50\ddot{s}_{\overline{12}|j}, \; j = \dfrac{i^{(4)}}{4} = 0.0122722$

$\left(1+\dfrac{i^{(4)}}{4}\right)^4 = (1+i) = 1.05$

$\ddot{s}_{\overline{12}|j} = 12.8440703$

$\rightarrow \; 1{,}000(1.05)^3 - 50\ddot{s}_{\overline{12}|j} = 515.4214831$

3년 말 시점 매 분기 상환금(x)의 현가: $x\,a_{\overline{8}|k}, \; k = \dfrac{i^{(4)}}{4} = 0.0134752$

$\left(1+\dfrac{i^{(4)}}{4}\right)^4 = (1+i) = 1.055$

$a_{\overline{8}|k} = 7.5359013$

$\therefore \; x = 68.39579554$만원

문제 29번

 답　474.924만원

 풀이 --

매 분기 말 50만원씩 적립한 것의 10년 후 시점 가치= 5년간 매년 초 Y의 금액을
지급하는 확정연금 $\rightarrow \; 50s_{\overline{40}|j} = Y\,\ddot{a}_{\overline{5}|0.025}$

$$\left(1+\frac{i^{(4)}}{4}\right)^4 = (1+i) = 1.025$$

$$j = \frac{i^{(4)}}{4} = 0.0061922$$

$$s_{\overline{40}|j} = \frac{(1+j)^{40}-1}{j} = 45.2314927$$

$$\ddot{a}_{\overline{5}|0.025} = 4.7619742$$

$$\therefore Y = 474.9237 만원$$

문제 30번

답 0.099

풀이

$$1,000 = 120\left(a_{\overline{4}|0.035} + 1.035^{-4} a_{\overline{8}|i}\right)$$

$$a_{\overline{4}|0.035} = 3.6730792$$

$$\rightarrow a_{\overline{8}|i} = \frac{1-(1+i)^{-8}}{i} = 5.3477488$$

$$\therefore i = 0.0993410125$$

문제 31번

답 266,592.136

풀이

첫 지급액 A, 매기 D씩 지급액이 증가하는 기말 확정연금의 현가:

$$(Ia)_{\overline{n}|i} = Aa_{\overline{n}|i} + D\left(\frac{a_{\overline{n}|i}-nv^n}{i}\right)$$

$$(I\ddot{a})_{\overline{n}|i} = (Ia)_{\overline{n}|i}(1+i)$$

2014년 초 연금지급액의 현가: $(I\ddot{a})_{\overline{180}|j} = (Ia)_{\overline{180}|j}(1+j)$

$$j = \left(1+\frac{i^{(6)}}{6}\right)^{\frac{6}{12}} - 1$$

$$(Ia)_{\overline{180}|j}(1+j) = \left[600a_{\overline{n}|j} - 2\left(\frac{a_{\overline{180}|j}-nv^n}{j}\right)\right](1+j) = 39,831.88371$$

$\therefore$ 지급액의 2030년 초 시점에서의 가치:

$$(Ia)_{\overline{180}|j}(1+j)(1+j)^{16\times 12} = 266,592.1360$$

문제 32번

답 2.830

 풀이

$\dfrac{1}{12}\ddot{s}_{\overline{20}|0.05}$ → 매월 $\dfrac{1}{12}$씩 연 이자율 0.05로 20년간 투자한 것의 20년 말 시점에서의 가치

$$1+i = \left(1 - \dfrac{d^{(12)}}{12}\right)^{-12} = 1.05$$

$$d^{(12)} = 0.0486911$$

$$\therefore \quad \dfrac{1}{12}\ddot{s}_{\overline{20}|0.05} = \dfrac{(1+i)^{20}-1}{d^{(12)}} = 2.829567938$$

문제 33번

답 25,816만원

 풀이

$$j = \dfrac{i^{(12)}}{12} = 0.0024663$$

$$1+i = \left(1 + \dfrac{i^{(12)}}{12}\right)^{12}$$

첫 지급액 A, 매기 D씩 지급액이 증가하는 기말 확정연금의 미래가치:

$$(Is)_{\overline{n}|i} = As_{\overline{n}|i} + D\left(\dfrac{s_{\overline{n}|i} - n}{i}\right)$$

확정연금의 10년 후 시점에서의 미래가치:

$$(Is)_{\overline{10}|i} = 100\, s_{\overline{12}|j}s_{\overline{10}|i} + 20\, s_{\overline{12}|j}\left(\dfrac{s_{\overline{10}|i} - n}{i}\right)$$

$$s_{\overline{12}|j} = \dfrac{(1+j)^{12}-1}{j} = 12.1641194$$

$$s_{\overline{10}|i} = \dfrac{(1+i)^{10}-1}{i} = 11.4638793$$

$\therefore$ 확정연금의 10년 후 시점에서의 미래가치: $(Is)_{\overline{10}|i} = 25,816.00151$만원

문제 34번

답 $X = 10.480$

풀이 --

연금 A: $4\ddot{a}^{(4)}_{\overline{\infty}|} = \dfrac{4}{d^{(4)}} = 40$

$\rightarrow d^{(4)} = 0.1$

$1+i = \left(1 - \dfrac{d^{(4)}}{4}\right)^4$

$\rightarrow i = 0.1065767$

연금 B: $X\left(\dfrac{1}{1-v^3}\right) = 40$

$\therefore X = 10.48006617$

문제 35번

답 해설 참조

풀이 --

(1) (pf) $\ddot{a}^{(m)}_{\overline{n}|} = \dfrac{1}{m}\left(1 + v^{\frac{1}{m}} + v^{\frac{2}{m}} + \cdots + v^{n-\frac{1}{m}}\right)$

$a^{(m)}_{\overline{n}|} = \dfrac{1}{m}\left(v^{\frac{1}{m}} + v^{\frac{2}{m}} + v^{\frac{3}{m}} \cdots + v^n\right)$

$\ddot{a}^{(m)}_{\overline{n}|} = a^{(m)}_{\overline{n}|} \times v^{\frac{-1}{m}}$

$\ddot{a}^{(m)}_{\overline{n}|} = a^{(m)}_{\overline{n}|} \times (1+i)^{\frac{1}{m}}$

(2) (pf) $\ddot{s}^{(m)}_{\overline{n}|} = (1+i)^n \ddot{a}^{(m)}_{\overline{n}|}$

$s^{(m)}_{\overline{n}|} = (1+i)^n \alpha^{(m)}_{\overline{n}|}$

$\ddot{a}^{(m)}_{\overline{n}|} = a^{(m)}_{\overline{n}|} \times (1+i)^{\frac{1}{m}}$ 이므로 $(1+i)^n \times \ddot{a}^{(m)}_{\overline{n}|} = (1+i)^n \times a^{(m)}_{\overline{n}|} \times (1+i)^{\frac{1}{m}}$ 이다.

$\therefore \ddot{s}^{(m)}_{\overline{n}|} = s^{(m)}_{\overline{n}|}(1+i)^{\frac{1}{m}}$

문제 36번

답 3.896

철수가 구입한 연금의 현가 $= 30 \cdot a_{\overline{\infty}|}$

영희가 구입한 연금의 현가 $= S$

$$S = 40 \cdot v + 40 \cdot \left(1 + \frac{k}{100}\right) \cdot v^2 + 40 \cdot \left(1 + \frac{k}{100}\right)^2 \cdot v^3 + \cdots$$

$$S = 800 \cdot \frac{1}{1 + \dfrac{k}{100}}$$

철수와 영희는 같은 금액으로 연금을 구입했으므로 $30 \cdot a_{\overline{\infty}|} = S$이여야 한다.

$$30 \cdot a_{\overline{\infty}|} = \frac{30}{i} = \frac{3,000}{k}$$

$$\therefore \ k = 3.8961038961$$

문제 37번

 6번

같은 시점에서 A와 B의 가치를 비교하기 위해 0시점에서의 현가를 비교하자.

$A = \ddot{a}_{\overline{n}|}$

$B = {}_{n|}\ddot{a}_{\overline{\infty}|}$

$\ddot{a}_{\overline{n}|} > {}_{n|}\ddot{a}_{\overline{\infty}|}$

$$\frac{1 - v^n}{d} > \frac{v^n}{d}$$

$$v^n < \frac{1}{2}$$

$$n > \frac{\ln 2}{\delta}$$

$$\delta = \ln 1 + i = \ln\left(1 - \frac{d^{(4)}}{4}\right)^{-4} = 0.121837$$

$$n > 5.689143$$

$$\therefore \ n = 6$$

문제 38번

 5,902.726만원

2014년 말에 적립한 500만원에 대한 이자는 2015년 말부터 2023년 말까지 매년 18.5만원씩 생긴다. 이 이자를 연이율 3%로 재투자를 한다면 2023년 말에 평가한 재투자금은 $18.5 \cdot S_{\overline{9|}}$와 같다.

마찬가지의 방법으로 얻은 이자들을 재투자하였을 때 2023년 말 시점에서 계산한 미래 가치는 다음과 같다.

$$18.5 \cdot s_{\overline{9|}} + 18.5 \cdot s_{\overline{8|}} + \cdots + 18.5 = \frac{18.5}{0.03}(1.03^9 + 1.03^8 + \cdots + 1.03 - 9) = 902.7255754$$

적립금의 미래가치 = 5,000만원

재투자금의 미래가치 = 902.7255754만원

∴ 5,902.7255754만원

문제 39번

답 28.532

$$a(t) = \exp\left(\int_0^t \delta_s ds\right) = (1+3t)^{\frac{1}{3}}$$

$$\bar{s}_{\overline{20|}} = \int_0^{20} \frac{a(20)}{a(t)} dt = \int_0^{20} \left(\frac{61}{1+3t}\right)^{\frac{1}{3}} dt = 28.53175141$$

문제 40번

답 1,319.957

$$30 \cdot (Da)_{\overline{10|}} = 30 \cdot \frac{10 - a_{\overline{10|}}}{0.06}$$

$$a_{\overline{10|}} = \frac{1 - 1.06^{-10}}{0.06} = 7.360087051$$

$$\therefore 30 \cdot (Da)_{\overline{10|}} = 1,319.956474$$

10년 동안 매년 말에 연금 지급을 받으며 첫 번째 해에는 300, 두 번째 해에는 270, 마지막 해에는 30으로 매년 30씩 작아지는 금액을 받는 연금을 말한다.

문제 41번

답 82,137.309

$$1{,}200 \cdot (Ia)_{\overline{10|}}^{(12)} = 1{,}200 \cdot \frac{\ddot{a}_{\overline{10|}} - 10 \cdot v^{10}}{i^{(12)}}$$

$$1 + i = e^{0.06} = \left(1 + \frac{i^{(12)}}{12}\right)^{12} = 1.061836547$$

$$\ddot{a}_{\overline{10|}} = \frac{1 - v^{10}}{d} = 7.74765604$$

$$i^{(12)} = 0.06015025031$$

$$\therefore \quad 1{,}200 \cdot (Ia)_{\overline{10|}}^{(12)} \cdot (1+i)^{10} = 82{,}137.30927$$

문제 42번

답 2,137.400

3년을 1기간으로 쳐서 계산했을 때 1기간당 이자를 i라 하면 i는 다음과 같다.

$$1 + i = (1 - 0.03)^{-3} = 1.095682682$$

A = 매 3년마다 지급하는 영속연금의 현재가치

$$A = 100 \cdot v + 110 \cdot v^2 + 120 \cdot v^3 + \cdots$$

$$A = 100 \cdot (v + v^2 + v^3 + \cdots) + 10 \cdot v \cdot (v + 2v^2 + 3v^3 + \cdots)$$

$$\therefore \quad A = 100 \cdot \frac{v}{1-v} + 10 \cdot v \cdot \frac{v}{(1-v)^2} = \frac{10 + 100i}{i^2} = 2{,}137.399557$$

문제 43번

답 $\dfrac{1.05}{4} X^2$

$$X = 2 \cdot {}_{3|}\ddot{a}_{\overline{\infty|}} = 2 \cdot v^3 \cdot \frac{1}{d}$$

첫 번째 지급액은 1, 이후 지급액은 1씩 증가하는 영속 연금의 현재가치를 S라 하면 S는 다음과 같다.

$$S = {}_{5|}(I\ddot{a})_{\overline{\infty|}} = v^5 \cdot \frac{1}{d^2}$$

$$\therefore \quad S = X^2 \cdot \frac{1}{4v} = \frac{1.05}{4} X^2$$

문제 44번

 1,386.087만원

처음 10번의 지급액의 현가 $= A$

매년 5%씩 증가한 지급액의 현가 $= B$

$A = 100 \cdot a_{\overline{10}|}$

$B = 100 \cdot 1.05^1 \cdot 1.05^{-11} + 100 \cdot 1.05^2 \cdot 1.05^{-12} + \cdots + 100 \cdot 1.05^{10} \cdot 1.05^{-20}$

$\quad = 100 \cdot 1.05^{-10} \cdot 10$

$\therefore \; A + B = 100 \cdot \dfrac{1 - v^{10}}{i} + 1000 \cdot v^{10} = 1,386.086736$

문제 45번

 0.0845

5년을 1기간으로 생각했을 때 1기간의 이자를 a라 한다면 영속연금의 현가는 다음과 같다.

$100 \cdot \ddot{a}_{\overline{\infty}|} = \dfrac{100}{d} = \dfrac{100(1+a)}{a} = 300$

$a = 0.5$

연이율을 i라 한다면 a와 i 사이의 관계식은 다음과 같다.

$(1+i)^5 = 1 + a = 1.5$

$\therefore \; i = 0.0844717712$

문제 46번

 10,220.012

1번째부터 10번째까지 지급한 지급액의 30년 후 누적가치 $=$ A

11번째부터 20번째까지 지급한 지급액의 30년 후 누적가치 $=$ B

$A = 100 \cdot 1.07^{30} + 100 \cdot 1.05^1 \cdot 1.07^{29} + \cdots + 100 \cdot 1.05^9 \cdot 1.07^{21}$

$A = \dfrac{100 \cdot 1.07^{30}\left(1 - \left(\dfrac{1.05}{1.07}\right)^{10}\right)}{1 - \dfrac{1.05}{1.07}} = 7,002.865457$

$$B = 100 \cdot 1.05^9 \cdot 0.93 \cdot 1.07^{20} + 100 \cdot 1.05^9 \cdot 0.93^2 \cdot 1.07^{19} + \cdots$$
$$+ 100 \cdot 1.05^9 \cdot 0.93^{10} \cdot 1.07^{11}$$

$$B = \frac{100 \cdot 1.05^9 \cdot 0.93 \cdot 1.07^{20}\left(1 - \left(\dfrac{0.93}{1.07}\right)^{10}\right)}{1 - \dfrac{0.93}{1.07}} = 3{,}217.146318$$

$$\therefore\ A + B = 10{,}220.01177$$

문제 47번

 풀이 생략

풀이 --

풀이 생략

문제 48번

 $s_1 = 3.5\%$, $s_2 = 3.6998\%$, $s_3 = 3.8663\%$

풀이 --

$$f_0 = s_1 = 3.5\%$$
$$(1 + s_2)^2 = (1 + f_0) \cdot (1 + f_1) = 1.035 \cdot 1.039 = 1.0754$$
$$\therefore\ s_2 = 3.6998071\%$$
$$(1 + s_3)^3 = (1 + s_2)^2 \cdot (1 + f_2) = 1.1205$$
$$\therefore\ s_3 = 3.8662707\%$$

문제 49번

 (1) 434.068

(2) 425.126

(3) 0.076

풀이 --

(1) 첫 지급액 100, 이후 지급액 50씩 증가하며 지급횟수가 3회인 기수불 확정연
금의 현재가치

$$A = 100 + \frac{150}{1 + s_1} + \frac{200}{(1 + s_2)^2} = 434.068$$

(2) (1)에서 주어진 확정연금을 3년 후 시점부터 판매하는 경우, 선물이자율을 이
용하여 해당 확정연금의 3년 후 시점에서의 가치 계산

$$100 + \frac{150}{\left(1+f_{3,1}\right)} + \frac{200}{\left(1+f_{3,2}\right)^2} = 425.12555$$

(3) 7년 후부터 3년간 적용되는 선물이자율 $f_{7,3}$을 구하시오.

$$1+f_{7,3} = \left(\frac{\left(1+s_{10}\right)^{10}}{\left(1+s_7\right)^7}\right)^{\frac{1}{3}} = \left(\frac{1.055^{10}}{1.046^7}\right)^{\frac{1}{3}} = 1.0763$$

$$\therefore \ f_{7,3} = 0.0763$$

문제 50번

답 (1) 1,969.56

(2) 0.028

 풀이

(1) 첫 지급액이 100이고 이후 지급액이 5%씩 증가하는 20년 만기 기말불 확정 연금의 현재가치

$$A = 100 \cdot \frac{1}{1+s_1} + 100 \cdot 1.05 \cdot \frac{1}{\left(1+s_2\right)^2} + \cdots + 100 \cdot 1.05^{19} \cdot \frac{1}{\left(1+s_{20}\right)^{20}}$$

$$A = 100 \cdot \frac{1}{1.035^{0.7}} + 100 \cdot 1.05 \cdot \frac{1}{1.035^{1.5}} + \cdots + 100 \cdot 1.05^{19} \cdot \frac{1}{1.035^{33}}$$

$$= 1,969.56$$

(2) 앞으로 3년간 적용되는 현물이자율 s_3

$$\left(1+s_t\right)^t = 1.035^{0.05t^2 + 0.65t}$$

$$\left(1+s_3\right)^3 = 1.035^{0.05 \cdot 3^2 + 0.65 \cdot 3} = 1.035^{2.4}$$

$$\therefore \ s_3 = 0.027903346$$

1장 ▶ 생존분포와 생명표

문제 1번

답 (1) 991.391

(2) 8.628

(3) 8.647

풀이

(1) *UDD* 가정을 적용하여 $1{,}000 \times {}_{0.7}p_{[60]+0.8}$을 구하시오.

UDD 가정은 한 해 동안의 사망자가 1년 내의 기간 동안 고르게 분포한 것을 의미한다.

$${}_{0.7}q_{[60]+0.8} = {}_{0.2}q_{[60]+0.8} + {}_{0.2}p_{[60]+0.8} \times {}_{0.5}q_{[60]+1}$$

$$= \frac{0.2 \times q_{[60]}}{1 - 0.8 \times q_{[60]}} + \left(1 - {}_{0.2}q_{[60]+0.8}\right) \times 0.5 \times q_{[60]+1} \quad \left(\because {}_{s}q_{x+t} = \frac{s \times q_x}{1 - t \times q_x}\right)$$

$$q_{[60]} = \frac{l_{[60]} - l_{[60]+1}}{l_{[60]}} = \frac{80{,}625 - 79{,}954}{80{,}625} = 0.0083$$

$$q_{[60]+1} = \frac{l_{[60]+1} - l_{[60]+2}}{l_{[60]+1}} = \frac{79{,}954 - 78{,}839}{79{,}954} = 0.0139$$

$${}_{0.7}q_{[60]+0.8} = \frac{0.2 \times 0.0083}{1 - 0.8 \times 0.0083} + \left(1 - \frac{0.2 \times 0.0083}{1 - 0.8 \times 0.0083}\right) \times 0.5 \times 0.0139 = 0.0086$$

$$1{,}000 \times {}_{0.7}q_{[60]+0.8} = 8.6093$$

$$1{,}000 \times \left(1 - {}_{0.7}q_{[60]+0.8}\right) = 1{,}000 - 8.6093$$

$$1{,}000 \times {}_{0.7}p_{[60]+0.8} = 991.3907$$

(2) 상수사력 가정을 적용하여 $1{,}000 \times {}_{0.7}q_{[60]+0.8}$을 구하시오.

소수연령에서 사력이 상수임을 가정한다.

$${}_{t}p_{x} = \left(p_{x}\right)^{t} \quad (0 < t < 1)$$

$$e^{t \times \ln(p_x)} = e^{-t \times (-\ln(p_x))} = e^{-t \times \mu(x)}$$

$${}_{0.7}q_{[60]+0.8} = 1 - {}_{0.7}p_{[60]+0.8}$$

$${}_{0.7}p_{[60]+0.8} = {}_{0.2}p_{[60]+0.8} \times {}_{0.5}p_{[60]+1}$$

$$\left(p_{[60]}\right)^{0.2} \times \left(p_{[60]+1}\right)^{0.5} = 0.9917^{0.2} \times 0.9861^{0.5} = 0.9914$$

$${}_{0.7}q_{[60]+0.8} = 0.0086$$

$$1{,}000 \times {}_{0.7}q_{[60]+0.8} = 8.6282$$

(3) *Balducci* 가정을 적용하여 $1{,}000 \times {}_{0.7}q_{[60]+0.8}$을 구하시오.

생존함수 역수의 내분 값으로 소수연령에서의 생존함수를 근사한다.

$${}_{1-t}q_{x+t} = (1 - t) \times q_x$$

$${}_{t}q_{x} = \frac{t \times q_x}{1 - (1 - t)q_x}$$

$${}_{0.7}q_{[60]+0.8} = {}_{0.2}q_{[60]+0.8} \times {}_{0.2|0.5}q_{[60]+0.8}$$

$${}_{0.7}q_{[60]+0.8} = {}_{0.2}q_{[60]+0.8} \times {}_{0.2}p_{[60]+0.8} \times {}_{0.5}q_{[60]+1}$$

$$= {}_{0.2}q_{[60]} + \left(1 - {}_{0.2}q_{[60]}\right) {}_{0.5}q_{[60]+1}$$

$$= 0.2 \times q_{[60]} + \left(1 - 0.2 \times q_{[60]}\right) \times \frac{0.5 \times q_{[60]+1}}{1 - 0.5 \times q_{[60]+1}}$$

$$0.2 \times 0.0083 + \left(1 - 0.2 \times 0.0083\right) \times \frac{0.5 \times 0.0139}{1 - 0.5 \times 0.0139} = 8.6470$$

문제 2번

🔲 (1) $\exp\left(-\dfrac{B}{\ln c}\ \left(c^x - 1\right)\right)$

(2) $\exp\left(-\dfrac{k}{(n+1)} \times x^{n+1}\right)$

(3) $\left(\dfrac{b}{b+x}\right)^a$

풀이

(1) $\mu_x = Bc^x \quad (B > 0 \ , \ c > 1)$

$$S(x) = {}_xp_0 = \exp\left(-\int_0^x Bc^y dy\right)$$

$$= \exp\left(-B\int_0^x c^y dy\right)$$

$$= \exp\left(-B \cdot \frac{1}{\ln c} \left[c^y\right]_0^x\right)$$

$$= \exp\left(-\frac{B}{\ln c}\left(c^x - 1\right)\right)$$

(2) $\mu_x = k \times x^n \quad (n > 0 \ , \ k > 0)$

$$S(x) = {}_xp_0 = \exp\left(-\int_0^x ky^n dy\right)$$

$$= \exp\left(-k\left[\frac{1}{(n+1)} \times y^{n+1}\right]_0^x\right)$$

$$= \exp\left(-\frac{k}{(n+1)} \times x^{n+1}\right)$$

(3) $\mu_x = a(b+x)^{-1} \quad (a > 0 \ , \ b > 0)$

$$S(x) = {}_xp_0 = \exp\left(-\int_0^x a(b+y)^{-1} dy\right)$$

$$= \exp\left(-a\left[\ln(b+y)\right]_0^x\right)$$

$$= \exp\left(-a\ln(b+x) + a\ln b\right)$$

$$= \left(\frac{b}{b+x}\right)^a$$

문제 3번

 답 1,436.19

 풀이 --

$\Pr(Y_A + Y_B > c) = 0.05$

확률 계산을 위해 표준정규확률분포로 바꿔준다.

$$\Pr\left(z > \frac{c - E[Y_A + Y_B]}{\sqrt{Var[Y_A + Y_B]}}\right) = 0.05$$

$Y_A \sim B(1{,}600,\ _{70}p_0),\ Y_B \sim B(540,\ _{60}p_{10})$

$$_{70}p_0 = \frac{l_{70}}{l_0} = \frac{26}{40},\quad _{60}p_{10} = \frac{l_{70}}{l_{10}} = \frac{26}{39}$$

$E[Y_A] = 1{,}600 \times \dfrac{26}{40} = 1{,}040,\ E[Y_B] = 540 \times \dfrac{26}{39} = 360$

$E[Y_A + Y_B] = E[Y_A] + E[Y_B] = 1{,}040 + 360 = 1{,}400$

$Var[Y_A] = 1{,}600 \times \dfrac{26}{40} \times \dfrac{14}{40} = 364,\ Var[Y_B] = 540 \times \dfrac{26}{39} \times \dfrac{13}{39} = 120$

$Cov(Y_A,\ Y_B) = 0$ ($\because$ 모든 구성원의 장래생존기간은 독립임을 가정한다.)

$Var[Y_A + Y_B] = Var[Y_A] + Var[Y_B] + 2Cov(Y_A,\ Y_B) = 364 + 120 + 0 = 484$

$\dfrac{c - E[Y_A\ +\ Y_B]}{\sqrt{Var[Y_A\ +\ Y_B]}} = 1.645$

$c = 1.645 \times \sqrt{Var[Y_A + Y_B]} + E[Y_A + Y_B]$

$\quad = 1.645 \times \sqrt{484} + 1{,}400 = 1{,}436.19$

문제 4번

 답 해설 참조

 풀이 --

(a) $(pf)\ E[K^*(x)] = 0 \times q_x + 1 \times _1q_x + 2 \times _{2|}q_x + \cdots + n - 1 \times _{n-1|}q_x + n \times _np_x$

$\qquad = p_x - _2p_x + 2(_2p_x - _3p_x) + \cdots + n - 1 \times (_{n-1}p_x - _np_x) + n \times _np_x$

$\qquad = p_x + _2p_x + \cdots + _{n-1}p_x + _np_x$

$\qquad = \sum_{k=1}^{n} {_k}p_x$

(b) $(pf)\ Var[K^*(x)] = E[K^*(x)^2] - E[K^*(x)]^2$

$\qquad E[K^*(x)^2] = 0^2 \times q_x + 1^2 \times _{1|}q_x + 2^2 \times _{2|}q_x + \cdots + (n-1)^2 \times _{n-1|}q_x + n^2 \times _nq_x$

$\qquad\qquad = p_x - _2p_x + 2^2 \times (_2p_x - _3p_x) + \cdots + (n-1)^2 \times (_{n-1}p_x - _np_x) + n^2 \times _np_x$

$$= p_x + 3 \times {}_2p_x + \cdots + (2n-3) \times {}_{n-1}p_x + (2n-1) \times {}_np_x$$

$$= \sum_{k=1}^{n} (2k-1) \, {}_kp_x$$

$$Var\big[K^*(x)\big] = \sum_{k=1}^{n} (2k-1) \, {}_kp_x - \left(\sum_{k=1}^{n} {}_kp_x\right)^2$$

$$Var\big[K^*(x)\big] = \sum_{k=1}^{n} (2k-1) \, {}_kp_x - \left(e_{x:\overline{n|}}\right)^2$$

문제 5번

📋 (1) $\dfrac{1}{c}$

(2) $-\dfrac{1}{c} \times \ln 0.5$

(3) 0

풀이 --

(1) $Var\big[T(x)\big] = E\big[T(x)^2\big] - \{E\big[T(x)\big]\}^2$

$$E\big[T(x)\big] = \int_0^\infty t f_T(t)dt = \int_0^\infty tce^{-ct}dt = c\int_0^\infty te^{-ct}dt = c\frac{\Gamma(2)}{c^2}\int_0^\infty te^{-ct}\frac{c^2}{\Gamma(2)}dt$$

$$= \frac{1}{c}$$

$$E\big[T(x)^2\big] = \int_0^\infty t^2 f_T(t)dt = \int_0^\infty t^2 ce^{-ct}dt = c\int_0^\infty t^2 e^{-ct}dt$$

$$= c\frac{\Gamma(3)}{c^3}\int_0^\infty \frac{c^3}{\Gamma(3)}t^2 e^{-ct}dt = \frac{2!}{c^2} = \frac{2}{c^2}$$

$$Var\big[T(x)\big] = \frac{2}{c^2} - \frac{1}{c^2} = \frac{1}{c^2}$$

(2) $T(x)$ 중앙값, $F_T(t) = 0.5$의 를 만족하는 t값

$$F_T(t) = \int_0^t f(s)ds = \int_0^t ce^{-cs}ds = c\int_0^t e^{-cs}ds = 1 - e^{-ct}$$

$$1 - e^{-ct} = 0.5 \rightarrow e^{-ct} = 0.5 \rightarrow \ln 0.5 = -ct \rightarrow t = -\frac{\ln 0.5}{c}$$

(3) $T(x)$의 최빈값

지수분포 특성상, 0에서 가장 확률밀도함수 값이 높으므로 정답은 0이다.

문제 6번

📋 0.241

풀이

현 80세는 세번째 해에 사망, 현 90세는 그 첫번째 혹은 두번째 해에 사망

$$_{2|}p_{80} \times {}_2p_{90} = {}_2p_{80+2} \times (1 - {}_2p_{90})$$

$$= p_{80} \times p_{80+1} \times q_{80+2} \times (1 - p_{90} \times p_{90+1})$$

$$= 0.9 \times 0.8 \times 0.3 \times (1 - 0.6 \times 0.5)$$

$$= 0.1512$$

현 90세는 세번째 해에 사망, 현 80세는 그 첫번째 혹은 두번째 해에 사망

$$_{2|}q_{90} \times {}_3q_{80} = {}_2p_{90} \times q_{90+2} \times (1 - {}_2q_{80})$$

$$= p_{90} \times p_{90+1} \times q_{90+2} \times (1 - p_{80} \times p_{80+1})$$

$$= 0.6 \times 0.5 \times 0.6 \times (1 - 0.9 \times 0.8)$$

$$= 0.0504$$

현 80, 90세 둘 다 세번째 해에 사망

$$_{2|}q_{80} \times {}_{2|}q_{90} = {}_2p_{80} \times q_{80+2} \times {}_2p_{90} \times q_{90+2} = 0.261 \times 0.18 = 0.03888$$

세 경우가 상호 배반(mutually exclusive)이므로 마지막 사망이 세번째 해에 발생할 확률은

$$0.1512 + 0.0504 + 0.03888 = 0.24048$$

문제 7번

답 UDD: 116.719, 상수사력: 116.652

 풀이

$$_{2|3}q_{[60]+0.75} = {}_{0.25}p_{[60]+0.75} \times p_{[60]+1} \times {}_{0.75}p_{[60]+2} \times {}_3q_{[60]+2.75} \text{ or}$$

$$_{2|3}q_{[60]+0.75} = {}_2p_{[60]+0.75} - {}_5p_{[60]+0.75}$$

*UDD*일 때,

$$_{2|3}q_{[60]+0.75} = \frac{l_{[60]+2.75}}{l_{[60]+0.75}} - \frac{l_{[60]+5.75}}{l_{[60]+0.75}} = \frac{74,750}{79,250} - \frac{65,500}{79,250} = \frac{9,250}{79,250} = 0.116719$$

$$1,000 \times {}_{2|3}q_{[60]+0.75} = 116.719$$

상수사력일 때,

$$_{2|3}q_{[60]+0.75} = \frac{l_{[60]+2} \times (p_{[60]+2})^{0.75}}{l_{[60]} \times (p_{[60]})^{0.75}} - \frac{l_{65} \times (p_{65})^{0.75}}{l_{[60]} \times (p_{[60]})^{0.75}}$$

$$= \frac{74,738.860}{79,248.822} - \frac{65,494.322}{79,248.822}$$

$$= \frac{9,244.528}{79,248.822} = 0.116652$$

$$1,000 \times {}_{2|3}q_{[60]+0.75} = 116.652$$

문제 8번

답 2.479

풀이

$${}_tp_{65} = \frac{s_0(65+t)}{s_0(65)} = \left[\frac{w-(t+65)}{w-65}\right]^{\frac{1}{4}}$$

$${}_tp_{65} = 1 - \left[\frac{w-(t+65)}{w-65}\right]^{\frac{1}{4}}$$

$$\mu_{65+t} = \frac{\frac{d_tq_{65}}{dt}}{{}_tp_{65}} = \frac{\frac{1}{4} \times \frac{1}{w-65} \times \left[\frac{w-(t+65)}{w-65}\right]^{-\frac{3}{4}}}{\left[\frac{w-(t+65)}{w-65}\right]^{\frac{1}{4}}} = \frac{\frac{1}{4} \times \frac{1}{w-65}}{\frac{w-(t+65)}{w-65}}$$

t에 0을 대입하면

$$\mu_{65} = \frac{1}{4} \times \frac{1}{w-65} = \frac{1}{180}$$

$$w = 110$$

$$e_{106} = {}_1p_{106} + {}_2p_{106} + {}_3p_{106}$$

$$= \left[\frac{110-(1+106)}{110-106}\right]^{\frac{1}{4}} + \left[\frac{110-(2+106)}{110-106}\right]^{\frac{1}{4}} + \left[\frac{110-(3+106)}{110-106}\right]^{\frac{1}{4}}$$

$$= \left(\frac{3}{4}\right)^{\frac{1}{4}} + \left(\frac{2}{4}\right)^{\frac{1}{4}} + \left(\frac{1}{4}\right)^{\frac{1}{4}} = 2.4786$$

문제 9번

답 98,049.52

풀이

선택기간이 2년이므로

$$l_{[75]+2} = l_{77}$$

$$l_{[75]+1} \times p_{[75]+1} = l_{77}$$

$$p_{[75]+1} = 1 - q_{[75]+1} = 1 - 0.95 \times q_{76} = 1 - 0.95 \times (1 - p_{76})$$

$$= 1 - 0.95 \times \left(1 - \frac{l_{77}}{l_{76}}\right) = 1 - 0.95 \times \left(1 - \frac{96,124}{98,153}\right)$$

$$= 0.980362$$

$$l_{[75]+1} = \frac{l_{77}}{p_{[75]+1}} = 98,049.52$$

문제 10번

📋 18.620

✏️

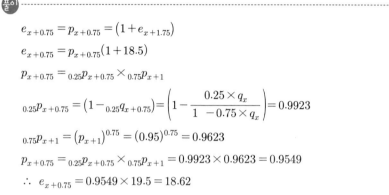

$$e_{x+0.75} = p_{x+0.75} = \left(1 + e_{x+1.75}\right)$$

$$e_{x+0.75} = p_{x+0.75}(1 + 18.5)$$

$$p_{x+0.75} = {}_{0.25}p_{x+0.75} \times {}_{0.75}p_{x+1}$$

$${}_{0.25}p_{x+0.75} = \left(1 - {}_{0.25}q_{x+0.75}\right) = \left(1 - \frac{0.25 \times q_x}{1 - 0.75 \times q_x}\right) = 0.9923$$

$${}_{0.75}p_{x+1} = \left(p_{x+1}\right)^{0.75} = (0.95)^{0.75} = 0.9623$$

$$p_{x+0.75} = {}_{0.25}p_{x+0.75} \times {}_{0.75}p_{x+1} = 0.9923 \times 0.9623 = 0.9549$$

$$\therefore \ e_{x+0.75} = 0.9549 \times 19.5 = 18.62$$

문제 11번

📋 0.583

✏️

$${}_{2}q_{92}^{*} = 1 - {}_{2}p_{92}^{*}$$

$${}_{2}q_{92}^{*} = \exp\left(-\int_0^2 \mu_{92+s}^{*} ds\right) = \exp\left(-\int_0^2 (2.5 \times \mu_{92+s}) ds\right)$$

$$= \left[\exp\left(-\int_0^2 \mu_{92+s} ds\right)\right]^{2.5} = \left({}_{2}p_{92}\right)^{2.5}$$

$${}_{2}p_{92} = (1 - 0.13) \times (1 - 0.19) = 0.7047$$

$${}_{2}p_{92}^{*} = (0.7047)^{2.5} = 0.416879634$$

$$\therefore \ {}_{2}q_{92}^{*} = 1 - 0.416879634 = 0.583120366$$

문제 12번

📋 0.02

✏️

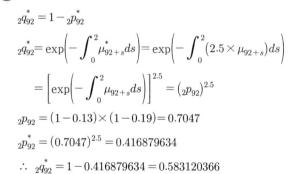

$$S(x) = 1 - F(x) = \frac{1}{x+1} = {}_{x}p_0$$

$$_xp_0 = \exp\left(-\int_0^x \mu(y)dy\right) = \frac{1}{x+1}$$

양변에 $\log$를 취하면, $-\int_0^x \mu(y)dy = -\ln(x+1)$

양변을 x에 대해 미분하면, $\mu(x) = \frac{1}{x+1}$. $\therefore \mu(49) = \frac{1}{50}$

문제 13번

답 14.574

풀이

$$\left(\mathring{e}_{35:\overline{24|}}\right)^2 = \int_0^{24} {_tp_{35}}dt$$

$$\int_0^5 {_tp_{35}}dt + \int_5^{24} {_tp_{35}}dt = \int_0^5 {_tp_{35}}dt + \int_0^{19} {_{t+5}p_{35}}dt = \int_0^5 {_tp_{35}}dt + {_5p_{35}} \times \int_0^{19} {_tp_{40}}dt$$

$$\int_0^5 e^{-0.04t}dt + e^{-0.04 \times 5} \times \int_0^{19} e^{-0.05t}dt = \frac{1-e^{-0.04 \times 5}}{0.04} + e^{-0.04 \times 5} \times \frac{1-e^{-0.05 \times 19}}{0.05}$$

$$= 14.57361085$$

문제 14번

답 0.282

풀이

$$_{5|10}q_{50} = {_5p_{50}} - {_{15}p_{50}} = {_5p_{50}} - {_{10}p_{50}} \times {_5p_{60}} = e^{-0.05 \times 5} - e^{-0.05 \times 10} \times e^{-0.04 \times 5}$$
$$= 0.282215479.$$

문제 15번

답 0.75

풀이

$$_tp_0 = \begin{cases} e^{-\mu_1 t}, & 0 \le t < 5 \\ e^{-\mu_1 \times 5 - \mu_2 \times (t-5)}, & 5 \le t \end{cases}$$

$$_{5|5}q_0 = {_5p_0} - {_{10}p_0} = e^{-\mu_1 \times 5} - e^{-\mu_1 \times 5 - \mu_2 \times 5} = e^{-\mu_1 \times 5} - 0.869358 = 0.072406$$

$$\mu_1 = 0.012$$

$$_{10}p_0 = e^{-0.012 \times 5 - \mu_2 \times 5} = 0.869358$$

$$-0.012 \times 5 - \mu_2 \times 5 = \ln(0.869358)$$

$$\mu_2 = 0.016$$

$$\therefore \ \frac{\mu_1}{\mu_2} = \frac{0.012}{0.016} = 0.75$$

문제 16번

답 0.00268

 풀이 --

$$\mathring{e}_{[37]} = \mathring{e}_{[37]:\overline{2}|} + {}_2p_{[37]} \times \mathring{e}_{39}$$

$$58 = 1.9 + {}_2p_{[37]} \times \mathring{e}_{39}$$

$$56.1 = {}_2p_{[37]} \times \mathring{e}_{39}$$

$$\mathring{e}_{37} = \mathring{e}_{37:\overline{2}|} + {}_2p_{37} \times \mathring{e}_{39}$$

$$57.5 = 1.7 + {}_2p_{37} \times \mathring{e}_{39}$$

$$55.8 = {}_2p_{37} \times \mathring{e}_{39}$$

$$\frac{{}_2p_{[37]} \times \mathring{e}_{39}}{{}_2p_{37} \times \mathring{e}_{39}} = \frac{56.1}{55.8} = 1.005376344$$

$\mu_{[37]+t} + A = \mu_{37+t}$ 이므로 $e^{2A} = 1.005376344$.

$$2A = \ln(1.005376344)$$

$$\therefore \ A = 0.002680972.$$

문제 17번

답 해설 참조

풀이 --

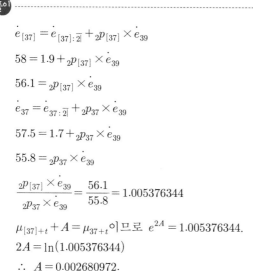

(1) $\displaystyle \mathring{e}_{x:\overline{n}|} = \int_0^n t \cdot {}_tp_x \cdot \mu_{x+t} dt + \int_n^\infty n \cdot {}_tp_x \cdot \mu_{x+t} dt$

$\displaystyle = \int_0^n t \cdot {}_tp_x \cdot \mu_{x+t} dt + n \cdot {}_np_x$

$\displaystyle = -t \cdot {}_tp_x \Big|_0^n + \int_0^n {}_tp_x dt + n \cdot {}_np_x = \int_0^n {}_np_x dt$

$\displaystyle = \int_0^n \frac{l_{x+t}}{l_x} dt = \frac{1}{l_x}\left[\int_0^\infty l_{x+t} dt - \int_n^\infty l_{x+t} dt \right] = \frac{1}{l_x} \cdot [T_x - T_{x+n}].$

(2) $Var[T^*(x)] = E[(\min(T_x,n))^2] - E[\min(T_x,n)]^2$

$= E[(\min(T_x,n))^2] - (\mathring{e}_{x:\overline{n}|})^2$

$$E\left[(\min(T_x, n))^2\right] = \int_0^n t^2 \cdot {}_tp_x \cdot \mu_{x+t} dt + n^2 \cdot {}_np_x$$

$$= -t^2 \cdot {}_tp_x \Big|_0^n + \int_0^n 2t \cdot {}_tp_x dt + n^2 \cdot {}_np_x$$

$$= -n^2 \cdot {}_np_x + \int_0^n 2t \cdot {}_tp_x dt + n^2 \cdot {}_np_x = \int_0^n 2t \cdot {}_tp_x dt.$$

$$\therefore \ E\left[(\min(T_x, n))^2\right] - \left(\overset{\circ}{e}_{x:\overline{n|}}\right)^2 = 2\int_0^n t \cdot {}_tp_x dt - \left(\overset{\circ}{e}_{x:\overline{n|}}\right)^2$$

문제 18번

답 −23.500

풀이 --

$$\mu_x^{kim} = 0.00025 \times 1.03^x$$

$$\mu_x^{son} = 0.0005 \times 1.03^x$$

모든 연령 x에 대해, μ_x^{son}은 μ_{x+k}^{kim}로 나타낼 수 있으므로,

$$\mu_x^{son} = \mu_{x+k}^{kim}, \ 0.00025 \times 1.03^x = 0.0005 \times 1.03^{x+k}$$

$$1.03^x = 2 \cdot 1.03^x \cdot 1.03^k$$

$$0.5 = 1.03^k$$

$$\therefore \ k = \frac{\ln(0.5)}{\ln(1.03)} = -23.49977225.$$

문제 19번

답 $\exp\left(-A - B \cdot c^x \cdot \dfrac{c-1}{\ln(c)}\right)$

풀이 --

$$_tp_x = \int_t^\infty {}_sp_x \mu_{x+s} ds$$

$$\int_1^\infty {}_tp_x \mu_{x+t} dt = p_x$$

$$_tp_x = \exp\left(-\int_0^t \mu_{x+s} ds\right) = \exp\left(-\int_0^t (A + B \cdot c^{x+s}) ds\right)$$

$$= \exp\left(-\int_0^t A ds - B \cdot c^x \int_0^t c^s ds\right) = \exp\left(-A \cdot t - B \cdot c^x \cdot \frac{c^t - 1}{\ln c}\right)$$

$$\therefore \int_1^\infty {}_tp_x \cdot \mu_{x+t} dt = p_x = \exp\left(-A - B \cdot c^x \cdot \frac{c-1}{\ln(c)}\right)$$

2장 > 생명보험

문제 1번

답 (1) 0.245, 0.065

(2) 0.670

(3) $\dfrac{1}{4z}$

(4) 25,573,514.13

 풀이

(1) $\overline{A}_x = E[v^T] = E[e^{-\delta T}] = \displaystyle\int_0^{\infty} e^{-\delta T} f_T(t)\,dt$

장래생존기간이 구간 $(0,\ 80)$에서 균등분포를 따르므로 $f_T(t) = \dfrac{1}{80}$

$E(Z) = \overline{A}_{20} = \displaystyle\int_0^{\infty} e^{-0.05t} \dfrac{1}{80}\,dt$

장래 생존기간이 $(0,\ 80)$이므로 위 식은

$E(Z) = \overline{A}_{20} = \displaystyle\int_0^{80} e^{-0.05t} \dfrac{1}{80}\,dt$으로 바꾸어 줘야 옳다.

$E(Z) = \overline{A}_{20} = \displaystyle\int_0^{80} e^{-0.05t} \dfrac{1}{80}\,dt = \dfrac{1}{80}\left[\dfrac{1}{-0.05} e^{-0.05t}\right]_0^{80} = \dfrac{1}{80}\left[\dfrac{e^{-4}-1}{-0.05}\right]$

$\qquad = \dfrac{1}{4}\left(1 - e^{-4}\right) = 0.2454210903$

$E(Z^2) = {}^2\overline{A}_{20} = \displaystyle\int_0^{80} e^{-0.1t} \dfrac{1}{80}\,dt = \dfrac{1}{80}\left[\dfrac{1}{-0.1} e^{-0.1t}\right]_0^{80} = \dfrac{1}{80}\left[\dfrac{e^{-8}-1}{-0.1}\right]$

$\qquad = \dfrac{1}{8}\left(1 - e^{-8}\right) = 0.1249580672$

$\therefore Var(Z) = E(Z^2) - E(Z)^2 = 0.1249580672 - (0.2454210903)^2 = 0.06472655558$

(2) $\Pr(Z \le \alpha) = 0.9$를 만족하는 α를 구해야 한다.

$\Pr(v^t \le \alpha) = \Pr(t \ln v \le \ln \alpha) = \Pr\left(t \ge \dfrac{\ln \alpha}{\ln v}\right) = 0.9 \quad (\because \ln v \le 0)$

$\Pr\left(t \le \dfrac{\ln \alpha}{\ln v}\right) = 0.1$

장래생존기간 t가 $(0,80)$에서 균등분포를 따르므로

$\Pr\left(t \le \dfrac{\ln \alpha}{\ln v}\right) = \dfrac{1}{80} \times \dfrac{\ln \alpha}{\ln v} = 0.1$

$$\ln\alpha = 8\ln v = 8\times(-0.05) = -0.4 \quad (\because \ \ln v = -\delta = -0.05)$$
$$\therefore \ \alpha = e^{-0.4} = 0.6703$$

(3) $\Pr(Z \le z) = \Pr(v^t \le z) = \Pr(t\ln v \le \ln z) = \Pr\left(t \ge \dfrac{\ln z}{\ln v}\right)$

$$\Pr\left(t \ge \frac{\ln z}{\ln v}\right) = 1 - \Pr\left(t \le \frac{\ln z}{\ln v}\right) = 1 - \frac{1}{80}\times\frac{\ln z}{\ln v} = 1 - \frac{\ln z}{(-4)} = 1 + \frac{\ln z}{4}$$

$$f_Z(z) = \frac{d}{dz}\left(1 + \frac{\ln z}{4}\right) = \frac{1}{4z}$$

(4) $E(X_i) = 100{,}000\,E(Z) = 24{,}542.10903$

$$Var(X_i) = (100{,}000)^2\,Var(Z) = 647{,}265{,}555.8$$

$$X \sim N\big(1{,}000\,E(X_i),\ 1{,}000\,Var(X_i)\big)$$

보험회사가 현재 가지고 있어야 할 기금의 규모를 F라 하자.

$$\Pr(F \rangle X) = 0.9$$

$$\Pr\left(\frac{F - 1{,}000\,E(X_i)}{\sqrt{1{,}000\,Var(X_i)}} > z\right) = 0.9$$

$$\frac{F - 1{,}000\,E(X_i)}{\sqrt{1{,}000\,Var(X_i)}} = 1.282 \ \Rightarrow\ F = 1{,}000\,E(X_i) + 1.282\sqrt{1{,}000\,Var(X_i)}$$

$$= 25{,}573{,}514.13$$

문제 2번

답 0.033

 풀이 --

$$E(Z) = \int_0^\infty b_t v^t\, {}_t p_x \mu_{x+t}\,dt$$

$$= \int_0^\infty e^{-t} e^{-0.06t} e^{-\mu t}\mu\,dt$$

$$= \mu\int_0^\infty e^{-(\mu+1.06)t}\,dt = \mu\left[-\frac{1}{\mu+1.06}e^{-(\mu+1.06)t}\right]_0^\infty$$

$$= \frac{\mu}{\mu+1.06} = 0.03636$$

$\mu = 0.03636(\mu+1.06)$에서 $\mu = 0.04$를 구할 수 있다.

$$E(Z^2) = \int_0^\infty e^{-t} e^{-0.12t} e^{-\mu t}\mu\,dt$$

$$= \mu\int_0^\infty e^{-(\mu+1.12)t}\,dt = \frac{\mu}{\mu+1.12} = \frac{0.04}{1.16} = 0.0345$$

$$Var(Z) = E(Z^2) - E(Z)^2 = 0.0345 - (0.03636)^2 = 0.0332$$

문제 3번

📋 **답** 0.09

 풀이 --

$$Var(Z) = E(Z^2) - E(Z)^2$$

$$Z = b_T v^T$$

$$E(Z) = \int_0^\infty b_t v^t \, {}_t p_x \mu_{x+t} dt$$

$$= \int_0^\infty e^{-0.03t} e^{-0.06t} e^{-0.02t} 0.02 dt$$

$$= \left[-\frac{0.02}{0.05} e^{-0.05t} \right]_0^\infty = 0.4$$

$$E(Z^2) = \int_0^\infty \left(b_t v^t \right)^2 \, {}_t p_x \mu_{x+t} dt$$

$$= \int_0^\infty \left(e^{-0.03t} e^{-0.06t} \right)^2 e^{-0.02t} 0.02 dt$$

$$= \left[-\frac{0.02}{0.08} e^{-0.02t} \right]_0^\infty = 0.25$$

$$\therefore \ Var(Z) = E(Z^2) - E(Z)^2 = 0.09$$

문제 4번

📋 **답** 0.3, 0.284

풀이 --

$$\overline{A}_{[40]} = \int_0^5 v^t {}_t p_x \mu_{x+t} dt + \int_5^\infty v^t {}_t p_x \mu_{x+t} dt$$

$$= \int_0^5 e^{-0.05t} e^{-\frac{1}{60}t} \frac{1}{60} dt + \int_5^\infty e^{-0.05t} e^{-\frac{1}{40}t} \frac{1}{40} dt$$

$$= \frac{1}{60} \int_0^5 e^{-\frac{1}{15}t} dt + \frac{1}{40} \int_5^\infty e^{-\frac{3}{40}t} dt$$

$$= \frac{1}{60} \left[-15 e^{-\frac{1}{15}} \right]_0^5 + \frac{1}{40} \left[-\frac{40}{3} e^{-\frac{3}{40}t} \right]_5^\infty = 0.3$$

$$\overline{A}_{[40]+1} = \overline{A}_{[40]} - \int_0^1 e^{-0.05t} e^{-\frac{1}{60}t} \frac{1}{60} dt$$

$$= 0.3 - \frac{1}{60}\left[-15e^{-\frac{1}{15}}\right]_0^1 = 0.2839$$

문제 5번

📋 **답** 기대값=0.416, 분산=0.035

📝 **풀이**

$$A_{60:\overline{20}|} = A^1_{60:\overline{20}|} + {}_{20}E_{60}$$

$$= \sum_{k=0}^{19} v^{k+1} \times {}_{k|}q_{60} + v^{20} {}_{20}p_{60}$$

$${}_{k|}q_{60} = {}_kp_{60}q_{60+k} = e^{-\frac{k}{40}}\left(1 - e^{-\frac{1}{40}}\right) \text{이므로}$$

$$\sum_{k=0}^{19} v^{k+1} {}_{k|}q_{60} + v^{20} {}_{20}p_{60} = \sum_{k=0}^{19} e^{-0.06(k+1)} e^{-\frac{k}{40}}\left(1 - e^{-\frac{1}{40}}\right) + e^{-1.2}e^{-0.5}$$

$$= 0.0233 \sum_{k=0}^{19} e^{-0.085k} + e^{-1.7}$$

$$\approx 0.0233 \times 10.0282 + 0.1827 = 0.4164$$

$${}^2A_{60:\overline{20}|} = {}^2A^1_{60:\overline{20}|} + {}^2A_{60:\frac{1}{20}|}$$

$$= \sum_{k=0}^{19} e^{-0.12(k+1)} e^{-\frac{k}{40}}\left(1 - e^{-\frac{1}{40}}\right) + e^{-2.4}e^{-0.5}$$

$$= 0.0219 \sum_{k=0}^{19} e^{-0.145k} + e^{-2.9}$$

$$\approx 0.0219 \times 0.135 + 0.055 = 0.2083$$

$$\therefore Var(Z) = 0.2083 - (0.4164)^2 = 0.0349$$

문제 6번

📋 **답** 0.078

📝 **풀이**

$$A^1_{x:\overline{3}|} = \sum_{k=0}^{2} \left(\frac{1}{1.06}\right)^{k+1} {}_kp_x \times q_{x+k}$$

$$= \frac{1}{1.06}(1)(0.02) + \left(\frac{1}{1.06}\right)^2(0.98)(0.04) + \left(\frac{1}{1.06}\right)^3(0.98)(0.96)(0.06) \approx 0.1012$$

$$^2A^{\,1}_{x\,:\,\overline{3|}} = \sum_{k=0}^{2}\left(\frac{1}{1.06^2}\right)^{k+1}{}_kp_xq_{x+k}$$

$$= \left(\frac{1}{1.06}\right)^2(1)(0.02)+\left(\frac{1}{1.06}\right)^4(0.98)(0.04)+\left(\frac{1}{1.06}\right)^6(0.98)(0.96)(0.06)$$

$$\approx 0.0886$$

$$Var(Z)=\,^2A^{\,1}_{x\,:\,\overline{3|}}-\left(A^{\,1}_{x\,:\,\overline{3|}}\right)^2 = 0.0886-(0.1012)^2 = 0.0784$$

문제 7번

📗 **답** 4

📘 **풀이** --

$$^2\overline{A}_x = \int_0^\infty v^{2t}\,{}_tp_x\mu_{x+t}dt = \frac{\mu}{\mu+2\delta} = 0.25$$

$$\therefore\ \mu = 0.04$$

$$Z = T\cdot v^T$$

$$E(Z) = \left(\overline{IA}\right)_x = \int_0^\infty tv^t\,{}_tp_x\mu_{x+t}dt$$

$$= \int_0^\infty 0.04te^{-0.06t}e^{-0.04t}dt$$

$$= \int_0^\infty 0.04te^{-0.1t}dt$$

$$= 0.04\left[\frac{-t}{0.1}e^{-0.1t}\right]_0^\infty + 0.04\int_0^\infty\frac{1}{0.1}e^{-0.1t}dt = 4$$

문제 8번

📗 **답** 해설 참조

📘 **풀이** --

$$\overline{A}_x = \int_0^1 v^t\,{}_tp_x\mu_{x+t}dt + \int_1^2 v^t\,{}_tp_x\mu_{x+t}dt + \int_2^3 v^t\,{}_tp_x\mu_{x+t}dt+\cdots$$

$$\int_0^1 v^t\,{}_tp_x\mu_{x+t}dt = \int_0^1 e^{-\delta t}e^{-\mu_x(0)t}\mu_x(0)dt = \mu_x(0)\int_0^1 e^{-(\mu_x(0)+\delta)t}dt$$

$$= \mu_x(0)\left[-\frac{1}{\mu_x(0)+\delta}e^{-(\mu_x(0)+\delta)t}\right]_0^1 = \frac{\mu_x(0)}{\mu_x(0)+\delta}\left(1-e^{-(\mu_x(0)+\delta)}\right)$$

$$v = e^{-\delta},\ p_x = e^{-\mu_x(0)}$$이므로

$$= \frac{\mu_x(0)}{\mu_x(0)+\delta}\left(1-vp_x\right)= \frac{v\mu_x(0)}{\mu_x(0)+\delta}\left(1+i-p_x\right)= v\mu_x(0)\frac{i+q_x}{\mu_x(0)+\delta}$$

$$= v\mu_x(0)\frac{i+q_x}{\delta+\mu_x(0)}$$

$$\int_1^2 v^t\,_tp_x\mu_{x+t}dt= \int_0^1 v^{t+1}\,_{t+1}p_x\mu_{x+t+1}dt= v_1p_x\int_0^1 v^t\,_tp_{x+1}\mu_{x+t+1}dt$$

$$\int_0^1 v^t\,_tp_x\mu_{x+t+1}dt= v\mu_x(1)\frac{i+q_{x+1}}{\delta+\mu_x(1)}$$

$$\int_1^2 v^t\,_tp_x\mu_{x+t}dt= v^2\,_1p_x\mu_x(1)\ \frac{i+q_{x+1}}{\delta+\mu_x(1)}$$

같은 방식으로 $\int_2^3 v^t\,_tp_x\mu_{x+t}dt$을 구하면,

$$\int_2^3 v^t\,_tp_x\mu_{x+t}dt= v^3\,_2p_x\mu_x(2)\ \frac{i+q_{x+2}}{\delta+\mu_x(2)}$$

$$\overline{A}_x= \int_0^1 v^t\,_tp_x\mu_{x+t}dt+ \int_1^2 v^t\,_tp_x\mu_{x+t}dt+ \int_2^3 v^t\,_tp_x\mu_{x+t}dt+\cdots$$

$$= v\mu_x(0)\frac{i+q_x}{\delta+\mu_x(0)}+ v^2\,_1p_x\mu_x(1)\frac{i+q_{x+1}}{\delta+\mu_x(1)}+ v^3\,_2p_x\mu_x(2)\frac{i+q_{x+2}}{\delta+\mu_x(2)}+\cdots$$

$$= \sum_{k=0}^{\infty} v^{k+1}\,_kp_x\mu_x(k)\frac{i+q_{x+k}}{\delta+\mu_x(k)}$$

문제 9번

답 300

풀이 --

양로보험에서 만기 시점까지 생존할 경우 1,000원을 지급하고, 만기 이전에 사망하는 경우 이 양로보험의 일시납보험료인 600원을 지급한다. 이를 식으로 정리하면

$$600 = 600A_{x:\overline{n|}}^1+1,000A_{x:\overline{n|}}^{\ \ 1}$$

그리고 생존시와 사망시 모두 1,000원을 지급하는 양로보험의 일시납보험료는 800원이다. 이를 식으로 정리하면

$$800 = 1,000A_{x:\overline{n|}}^1+1,000A_{x:\overline{n|}}^{\ \ 1}$$

위 두 식을 연립하면

$$A_{x:\overline{n|}}^1 = 0.5,\quad A_{x:\overline{n|}}^{\ \ 1}=\ 0.3$$

$$\therefore\ 1,000A_{x:\overline{n|}} = 300$$

문제 10번

답 707,792.76

풀이 ....

$$s(x) = \frac{120 - x}{120}$$

$$_t p_x = \frac{s(x+t)}{s(x)} = \frac{\dfrac{120-x-t}{120}}{\dfrac{120-x}{120}} = \frac{120-x-t}{120-x} = 1 - \frac{t}{120-x} \quad, \quad _t q_x = \frac{t}{120-x}$$

$$\mu(x+t) = \frac{\dfrac{d}{dt}\,_t p_x}{_t p_x} = \frac{\dfrac{1}{120-x}}{\dfrac{120-x-t}{120-x}} = \frac{1}{120-x-t}$$

$$\overline{A}_{25:\overline{15|}} = \int_0^{15} v^t \,_t p_{25}\,\mu(25+t)\,dt$$

$$= \int_0^{15} \left(\frac{1}{1.04}\right)^t \frac{(95-t)}{95} \frac{1}{(95-t)}\,dt$$

$$= \frac{1}{95}\int_0^{15}\left(\frac{1}{1.04}\right)^t dt$$

$$= \frac{1}{95}\left[\frac{\left(\dfrac{1}{1.04}\right)^t}{\ln\left(\dfrac{1}{1.04}\right)}\right]_0^{15} = \frac{1}{95}\frac{\left(\dfrac{1}{1.04}\right)^{15}-1}{\ln\left(\dfrac{1}{1.04}\right)} \approx 0.1194$$

$$^2\overline{A}_{25:\overline{15|}} = \int_0^{15}\left(\frac{1}{1.04}\right)^{2t}\frac{(95-t)}{95}\frac{1}{(95-t)}\,dt$$

$$= \frac{1}{95}\int_0^{15}\left(\frac{1}{1.04}\right)^{2t}dt = \frac{1}{95}\left[\frac{\left(\dfrac{1}{1.04}\right)^{2t}}{\ln\left(\dfrac{1}{1.04}\right)^2}\right]_0^{15}$$

$$= \frac{1}{95}\frac{\left(\dfrac{1}{1.04}\right)^{30}-1}{\ln\left(\dfrac{1}{1.04}\right)^2} \approx \frac{1}{95}\times\frac{-0.6917}{-0.0784} = 0.0929$$

$$E(Z) = 3{,}000 \cdot \overline{A}_{25:\overline{15|}} = 358.2$$

$$E(Z^2) = 3{,}000^2 \cdot {}^2\overline{A}_{25:\overline{15|}} = 836{,}100$$

$$Var(Z) = E(Z^2) - E(Z)^2 = 707{,}792.76$$

문제 11번

 0.865

$$_tp_{50} = e^{-\int_0^t \frac{2}{50-v}du} = e^{[2\ln(50-\mu)]_0^t} = \left(\frac{50-t}{50}\right)^2$$

$$\int_0^\infty b_t v^t \,_tp_x \mu_{x+1} dt = \int_0^{50} \frac{50}{50-t} e^{-0.04t}\left(\frac{50-t}{50}\right)^2 \frac{2}{50-t}dt = \frac{2}{50}\left[\frac{e^{-0.04t}}{-0.04}\right]_0^{50}$$

$$= 0.8646647168$$

문제 12번

답 147

풀이

각 구성원에게 지급하는 보험금의 현가: Y_i

총 지급하는 보험금의 현가: $Y = Y_1 + Y_2 + \cdots + Y_n$

총 납입하는 금액: $800n$

$$E(Y_i) = 1{,}000\overline{A}_{x:\overline{5|}} = 1{,}000\left(\overline{A}^1_{x:\overline{5|}} + A_{x:\frac{1}{5|}}\right)$$

$$= 1{,}000\left(\int_0^5 v^t \,_tp_x \mu_{x+t} dt + v^5 \,_5p_x\right)$$

$$= 1{,}000\left(\int_0^5 e^{-0.05t} e^{-0.03t} 0.03 dt + e^{-0.05\cdot5} e^{-0.03\cdot5}\right)$$

$$= 375 + 625e^{-0.4} = 793.9500288$$

$$E(Y_i^2) = 1{,}000^2 \,^2\overline{A}_{x:\overline{5|}} = 1{,}000^2\left[\frac{0.03}{0.13}(1-e^{-0.13\times5}) + e^{-0.13\times5}\right] = 632{,}342.9052$$

$$Var(Y_i) = E(Y_i^2) - E(Y_i)^2 = 1{,}986.257001$$

$$Y \sim N(793.9500288n, \ 1{,}986.257001n)$$

$$\Pr(Y < 800n) = \Pr(Z < 1.645) = 0.95$$

$$\Pr\left(Z < \frac{800n - 793.9500288n}{\sqrt{1{,}986.257001n}}\right) = \Pr(Z < 0.1357486711\sqrt{n})$$

$$n \geq 146.8$$

$$\therefore \ n = 147$$

문제 13번

답 0.071

$$Var(Z_3) = \int_0^\infty e^{-2\delta t} e^{-\mu t} \mu dt - \left(\int_0^\infty e^{-\delta t} e^{-\mu t} \mu dt \right)^2$$

$$= \frac{\mu}{2\delta + \mu} - \left(\frac{\mu}{\delta + \mu} \right)^2 = 0.071111$$

문제 14번

답 0.815

$$Z = \begin{cases} 0 & (T < 10) \\ v^T & (10 \leq T) \end{cases}$$

$$\Pr(Z < 0.1) = \Pr(T < 10) + \Pr(10 \leq T) \times \Pr(v^T < 0.1)$$

$$\Pr(v^T < 0.1) = \Pr\left(T > \frac{\ln 0.1}{\ln v}\right) = \Pr(T > 21.85434533) = {}_{21.8543}P_x \sqrt{\frac{60 - 21.8543}{60}}$$

$$= 0.7973461677$$

$$\Pr(Z < 0.1) = \left(1 - \sqrt{\frac{50}{60}}\right) + \sqrt{\frac{50}{60}} \cdot 0.7973461677 = 0.8150032078$$

문제 15번

답 931.623

예상 기금 잔여액 = 0

0시점에 전체 모은 기금 = Y

$$Y = 1,000E(Y_i) = 1,000\left(1,000vq_{30} + 500v^2 p_{30}q_{31}\right) = 2,186.184444$$

실제 기금 잔여액은 다음과 같다.

$$(1.07Y - 1,000)1.069 - 500 = 931.6233526$$

문제 16번

답 0.030

풀이

63세에 가입할 때의 일시납 보험료 = $10,000A_{63}$

63세에 가입시 실제 부과하는 보험료(최 씨가 납부해야 하는 보험료)

$$= 10,000 \times A_{63} \times 1.12 = 5,233$$

65세에 가입할 때의 일시납 보험료$= 10,000 A_{65}$

65세에 가입시 실제 부과하는 보험료 (최 씨가 납부해야 하는 보험료)

$$= 10,000 \times A_{65} \times 1.12$$

$$A_{63} = \frac{5,233}{10,000 \times 1.12} = 0.4672$$

다음과 같은 관계식을 이용하여 A_{65}를 구하여보자.

$$A_{x+1} = \frac{A_x(1+i) - q_x}{p_x}$$

$$A_{64} = \frac{0.4672 \times 1.05 - 0.01788}{1 - 0.01788} = 0.4813$$

$$A_{65} = \frac{0.4813 \times 1.05 - 0.01952}{1 - 0.01952} = 0.4955$$

65세에 가입시 실제 부과하는 보험료 (최 씨가 납부하는 보험료)

$$= 10,000 A_{65} \times 1.12 = 5,550$$

투자수익률이 α라고 하면 원금 5,233을 투자할 때 2년 후 원금과 투자이익의 합은 다음과 같다.

$$5,233(1+\alpha)^2 = 5,550$$

$$\alpha = \sqrt{\frac{5,550}{5,233}} - 1 = 0.02984$$

문제 17번

답 0.190

 풀이

$$
\begin{aligned}
{}_{2|}A_{[60]:\overline{2|}} &= v^3 \, {}_2p_x q_{x+2} + v^4 \, {}_3p_x q_{x+3} \\
&= v^3 \, {}_2p_{[60]} q_{[60]+2} + v^4 \, {}_3p_{[60]} q_{63} \\
&= \left(\frac{1}{1.03}\right)^3 \times 0.91 \times 0.89 \times 0.13 + \left(\frac{1}{1.03}\right)^4 \times 0.91 \times 0.89 \times 0.87 \times 0.15 \\
&= 0.1902584485
\end{aligned}
$$

문제 18번

답 0.8

 풀이

조건 변화하기 전의 $APV = \overline{A}_x$

$$\overline{A}_x = \int_0^\infty e^{-\delta \cdot t} e^{-\mu \cdot t} \mu dt = \frac{\mu}{\mu+\delta} = \frac{\mu}{\mu+0.06} = 0.6$$

$$\mu = 0.09$$

조건이 변함으로 인해 사력=0.12, 이력=0.03

$$APV = \overline{A}_x = \int_0^\infty e^{-0.03t} e^{-0.12t} 0.12 dt = \frac{0.12}{0.15} = 0.8$$

문제 19번

 답 0.209

 풀이 --

$$A_{x:\overline{2|}} = v q_x + v^2 p_x q_{x+1} = v \times 0.25 + v^2 \times 0.75 \times 0.2$$

제1보험연도에 손실이 발생하지 않으려면 최소한 (보험료)$\times(1+i)-1>0$이여야 한다.

$$1+i > \frac{1}{0.95} = 1.052631579$$

$$E(Z) = A_{x:\overline{2|}} = v \times 0.25 + v^2 \times 0.75 \times 0.2 = 0.372875$$

$$E(Z^2) = {}^2A_{x:\overline{2|}} = v^2 \times 0.25 + v^4 \times 0.75 \times 0.2 = 0.3478009375$$

$$Var(Z) = E(Z^2) - E(Z)^2 = 0.2087651719$$

문제 20번

답 272.250

풀이 --

개인에게 지급되는 보험료 현가함수: L_i

전체 100명에게 지급되는 보험료: $L \sim N(100E(L_i), 100\,Var(L_i))$

$$E(L_i) = 10_{5|}A_x$$

$$= 10\sum_{k=5}^\infty v^{k+1}\,{}_kp_x q_{x+k}$$

$$= 10\sum_{k=5}^\infty e^{-0.06\cdot(k+1)} e^{-0.04\cdot k}(1-e^{-0.04})$$

$$= 10(1-e^{-0.04})\frac{e^{-0.56}}{1-e^{-0.1}} = 2.353596056$$

$$E(L_i^2) = 100_{5|}^2 A_x$$

$$= 100 \sum_{k=5}^{\infty} v^{2 \cdot (k+1)} {}_k p_x q_{x+k}$$

$$= 100 \sum_{k=5}^{\infty} e^{-0.12 \cdot (k+1)} e^{-0.04 \cdot k} \left(1 - e^{-0.04}\right) = 100 \left(1 - e^{-0.04}\right) \frac{e^{-0.92}}{1 - e^{-0.16}}$$

$$= 10.56848069$$

$$Var\left(L_i\right) = E\left(L_i^2\right) - E\left(L_i\right)^2 = 5.029066293\}$$

$$L \sim N(235.3596056,\ 502.9066293)$$

$$\Pr(L < F) = \Pr\left(Z < \frac{F - 235.3596056}{\sqrt{502.9066293}}\right) = \Pr(Z < 1.645) = 0.95$$

$$\therefore F = 272.2496844$$

문제 21번

📋 665.136

$$A_{[80]} = vq_{[80]} + vp_{[80]} A_{81}$$

$$= v\left(0.5q_{80}\right) + v\left(1 - 0.5q_{80}\right) A_{81}$$

q_{80}을 구해야한다. 선택기간이 없는 생명보험의 현가를 이용하면

$$A_{80} = vq_{80} + vp_{80} A_{81}$$

$$0.67980 = \frac{q_{80}}{1.06} + \frac{1 - q_{80}}{1.06} 0.68952$$

$$q_{80} = 0.1$$

$$A_{[80]} = 0.6651358$$

$$\therefore 1{,}000 A_{[80]} = 665.1358491$$

문제 22번

📋 0.981

$$\overline{A}_{x:\overline{2}|} = \frac{i}{\delta} A^{1}_{x:\overline{2}|} + A_{x:\frac{1}{2}|} \quad \text{UDD}$$

$$A^{1}_{x:\overline{2}|} = vq_x + v^2 {}_{1|}q_x = 0.124$$

$$A_{x:\frac{1}{2}|} = v^2 {}_2p_x = 0.8567787$$

$$\therefore \overline{A}_{x:\overline{2}|} = \frac{0.01}{\ln(1.01)} A_{x:\frac{1}{2}|} + A_{x:\frac{1}{2}|} = 0.9814052$$

문제 23번

 해설 참조

풀이

(1) $Cov(Z_1, Z_2) = E[Z_1 Z_2] - E[Z_1] E[Z_2]$

$Z_1 = \begin{cases} v^T & T < n \\ 0 & T \geq n \end{cases}, \quad Z_2 = \begin{cases} 0 & T < n \\ v^n & T \geq n \end{cases}$

$Z_1 Z_2 = 0 \rightarrow E[Z_1 Z_2] = 0$

$E[Z_1] = A^1_{x:\overline{n}|}, \quad E[Z_2] = A_{x:\frac{1}{n}|} = v^n {}_n p_x = {}_n E_x$

$\therefore Cov(Z_1, Z_2) = -A^1_{x:\overline{n}|} {}_n E_x$

(2) (1)에서 구한 결과 $Cov(Z_1, Z_2) = -A^1_{x:\overline{n}|n} E_x$가 최소가 되는 n을 구하기 위해 $Cov(Z_1, Z_2)$를 n으로 미분하여 0이 되는 n의 값을 구한다.

$\overline{A}^1_{x:\overline{n}|} = \int_0^n v^t {}_t p_x \mu_{x+t} dt$

$\qquad = \int_0^n e^{-\delta t} \exp\left(-\int_0^t \mu_{x+s} ds\right) \mu_{x+t} dt$

$\dfrac{d}{dn}\left(Cov(Z_1, Z_2)\right) = \dfrac{d}{dn}\left(-A^1_{x:\overline{n}|} E_x\right) = 0$ (곱의 미분 이용)

$\dfrac{d}{dn}\left(-\overline{A}^1_{x:\overline{n}|}\right) {}_n E_x - \overline{A}^1_{x:\overline{n}|} \dfrac{d}{dn}\left({}_n E_x\right) = 0$ (양변에 $-$곱해서 양수 만들기)

$\dfrac{d}{dn}\left(Cov(Z_1, Z_2)\right)$

$\qquad = \dfrac{d}{dn}\left[\int_0^n e^{-\delta t} \exp\left(-\int_0^t \mu_{x+s} ds\right) \mu_{x+t} dt\right]\left[e^{-\delta n} \exp\left(-\int_0^n \mu_{x+s} ds\right)\right]$

$\qquad + \left[\int_0^n e^{-\delta t} \exp\left(-\int_0^t \mu_{x+s} ds\right) \mu_{x+t} dt\right] \dfrac{d}{dn}\left[e^{-\delta n} \exp\left(-\int_0^n \mu_{x+s} ds\right)\right]$

$\qquad = e^{-\delta n} \exp\left(-\int_0^n \mu_{x+s} ds\right) \mu_{x+n} e^{-\delta n} \exp\left(-\int_0^n \mu_{x+s} ds\right)$

$\qquad + \int_0^n e^{-\delta t} \exp\left(-\int_0^t \mu_{x+s} ds\right) \mu_{x+t} dt \left[e^{-\delta n} (-\delta)\exp\left(-\int_0^n \mu_{x+s} ds\right)\right.$

$\qquad \left. + e^{-\delta n} \exp\left(-\int_0^n \mu_{x+s} ds\right)(-\mu_{x+n})\right]$

$\qquad = e^{-2\delta n}({}_n p_x)^2 \mu_{x+n} + \overline{A}^1_{x:\overline{n}|}\left(-e^{-\delta n} \delta - {}_n p_x \mu_{x+n}\right)$

$\qquad = e^{-\delta n} {}_n p_x\left(e^{-\delta n} {}_n p_x \mu_{x+n} - (\mu_{x+n} + \delta)\overline{A}^1_{x:\overline{n}|}\right) = 0$

$$e^{-\delta n}{}_nE_x = \left(\mu_{x+n} + \delta\right)\overline{A}\,{}^1_{x:\overline{n}|} \quad \left(\because e^{-\delta n}{}_np_x \neq 0\right)$$

$$\therefore \frac{\mu_{x+n}}{\mu_{x+n} + \delta} = \frac{\overline{A}\,{}^1_{x:\overline{n}|}}{{}_nE_x}$$

(3) 사력이 상수 μ일 때 $\overline{A}\,{}^1_{x:\overline{n}|} = \dfrac{\mu}{\mu+\delta}\left(1 - e^{-(\mu+\delta)n}\right)$, ${}_nE_x = e^{-(\mu+\delta)n}$

$$\frac{\mu}{\mu+\delta} = \frac{\dfrac{\mu}{\mu+\delta}\left(1 - e^{-(\mu+\delta)n}\right)}{e^{-(\mu+\delta)n}}$$

$$e^{-(\mu+\delta)n} = \frac{1}{2}$$

$$-(\mu+\delta)n = \ln\left(\frac{1}{2}\right)$$

$$\therefore Cov(Z_1,\ Z_2)\text{가 최소가 되는 } n = \frac{\ln\left(\dfrac{1}{2}\right)}{-(\mu+\delta)}$$

문제 24번

🔲 답 해설 참조

 풀이

(1) $Z = v^T$

  (i) $E[Z] = \displaystyle\int_0^\infty v^t\,{}_tp_x\mu_{x+t}\ dt$

    $v^t = a^{-1}(t)$

    $a(t) = \exp\left(\displaystyle\int_0^t \delta_s ds\right) = \exp\left(\displaystyle\int_0^t \frac{0.2}{1+0.05s}\,ds\right) = (1+0.05t)^4$

    $a^{-1}(t) = (1+0.05t)^{-4}$

    ${}_tp_x = \dfrac{l_{x+t}}{l_x} = \dfrac{100-x-t}{100-x}$, $\ \mu_{x+t} = \dfrac{-l'_{x+t}}{l_{x+t}} = \dfrac{1}{100-x-t}$

    $E[Z] = \displaystyle\int_0^\infty v^t\,{}_tp_x\mu_{x+t}\ dt$

    $\quad\ = \displaystyle\int_0^\infty (1+0.05t)^{-4}\frac{1}{100-x}\ dt$

    $\quad\ = \dfrac{1}{100-x} \times \dfrac{20}{3}$

  (ii) $Var[Z] = E[Z^2] - (E[Z])^2$

$$E[Z^2] = \int_0^\infty v^{2t} \, _tp_x \mu_{x+t} \ dt$$

$$= \int_0^\infty (1+0.05t)^{-8} \frac{1}{100-x} \ dt$$

$$= \frac{1}{100-x} \times \frac{20}{7}$$

$$Var[Z] = \frac{1}{100-x} \times \frac{20}{7} - \left(\frac{1}{100-x} \times \frac{20}{3} \right)^2$$

(2) $\left(\overline{IA} \right)_x = \int_0^\infty t \ v^t \, _tp_x \mu_{x+t} \ dt$

$$= \int_0^\infty t(1+0.05t)^{-4} \frac{1}{100-x} \ dt \qquad \text{부분적분}$$

$$= \frac{1}{100-x} \times \frac{20}{3} \times \frac{20}{2}$$

문제 25번

📋 (1) 그래프 생략

(2) 0.418

 풀이

(1) $Z = \begin{cases} v^T & T < 20 \\ v^{20} & T \geq 20 \end{cases}$

(2) $E[Z] = \int_0^{20} v^t \, _tp_x \mu_{x+t} \ dt + v^{20} \, _{20}p_x$

$$= \int_0^{20} e^{-0.05t} e^{-0.01t} 0.01 \ dt + e^{-(0.05+0.01)20}$$

$$= 0.01 \int_0^{20} e^{-0.06t} dt + e^{-1.2} = 0.4176618$$

문제 26번

📋 2,654.009원

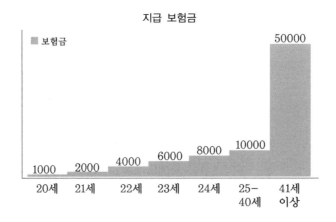

UDD하에서 사망즉시 보험금을 지급하는 종신보험의 보험수리적 현가:

$$2,000(\overline{IA})^1_{20:\overline{5}|} - 1,000\overline{A}^1_{20:\overline{1}|} + 10,000\,_5E_x\overline{A}^1_{25:\overline{15}|} + 50,000\,_{20}E_{20}\overline{A}_{40}$$

$$= 2,000\frac{i}{\delta}(IA)^1_{20:\overline{5}|} - 1,000\frac{i}{\delta}A^1_{20:\overline{1}|} + 10,000\,_5E_x\frac{i}{\delta}A^1_{20:\overline{15}|} + 50,000\,_{20}E_{20}\frac{i}{\delta}A_{40}$$

$$= 2,654.008529 \text{ (ILT이용)}$$

$$(IA)^1_{20:\overline{5}|} = \sum_{k=0}^{4}(k+1)v^{k+1}\,_{k|}q_x$$

문제 27번

답 27.09%

풀이

고장이 나면 즉시 잔여보증기간을 비례하여 보장하기 때문에 즉시 지급 5년 정기 보험을 떠올려본다. 또한 1년을 한 기간으로 가정하고 UDD를 적용한다.

$$q_x = 0.2$$

$$q_{x+1} = q_{x+2} = q_{x+3} = 0.1$$

$$q_{x+4} = 0.2$$

$$b_t = X\left(1 - \frac{t}{5}\right), \; X: \text{판매금액}$$

$$APV = \int_0^5 X\left(1 - \frac{t}{5}\right)v^t\,_tp_x\mu_{x+t}\,dt \;\text{(계산의 편의상 X를 잠시 1로 둔다.)}$$

$$= \int_0^1\left(1 - \frac{t}{5}\right)v^t\,_tp_x\mu_{x+t}\,dt + p_x\int_1^2\left(1 - \frac{t}{5}\right)v^t\,_{t-1}p_{x+1}\mu_{x+1+t}\,dt$$

$$+ {}_2p_x \int_2^3 \left(1 - \frac{t}{5}\right) v^t {}_{t-2}p_{x+2}\mu_{x+2+t} \ dt + {}_3p_x \int_3^4 \left(1 - \frac{t}{5}\right) v^t {}_{t-3}p_{x+3}\mu_{x+3+t} \ dt$$

$$+ {}_4p_x \int_4^5 \left(1 - \frac{t}{5}\right) v^t {}_{t-4}p_{x+4}\mu_{x+4+t} \ dt (\text{계산의 편의를 위해 } v^t \text{는 빼지 않음})$$

그럼 각 기간에 적용될 수 있는 $\int_0^1 \left(1 - \frac{t}{5}\right) v^t {}_tp_x\mu_{x+t} \ dt$을 계산해본다.

$$\int_0^1 \left(1 - \frac{t}{5}\right) v^t {}_tp_x\mu_{x+t} \ dt = \int_0^1 \left(1 - \frac{t}{5}\right) e^{-\delta t}q_x \ dt$$

$$= 0.2 \int_0^1 \left(1 - \frac{t}{5}\right) e^{-\delta t}dt$$

$$= 0.2 \left\{ \left[\left(1 - \frac{t}{5}\right)\left(-\frac{1}{\delta}e^{-\delta t}\right) \right]_{t=0}^1 - \int_0^1 \frac{1}{5\delta}e^{-\delta t} \ dt \right\}$$

$$= 0.2 \left[0.8\left(-\frac{1}{\delta}e^{-\delta}\right) + \frac{1}{\delta} - \frac{1-e^{-\delta}}{5\delta^2} \right]$$

$$= 0.2 \left[\frac{1}{\delta}\left(1 - 0.8v - \frac{1-v}{5\delta}\right) \right]$$

$$p_x \int_1^2 \left(1 - \frac{t}{5}\right) v^t {}_{t-1}p_{x+1}\mu_{x+1+t}dt = p_x \int_1^2 \left(1 - \frac{t}{5}\right) e^{-\delta t}q_{x+1} \ dt$$

$$= p_x q_{x+1}\left[\frac{v}{\delta}\left(0.8 - 0.6v - \frac{1-v}{5\delta}\right) \right]$$

$${}_2p_x \int_2^3 \left(1 - \frac{t}{5}\right) v^t {}_{t-2}p_{x+2}\mu_{x+2+t}dt = {}_2p_x \int_2^3 \left(1 - \frac{t}{5}\right) e^{-\delta t}q_{x+2}dt$$

$$= {}_2p_x q_{x+2} \int_2^3 \left(1 - \frac{t}{5}\right) e^{-\delta t}dt$$

$$= {}_2p_x q_{x+2}\left[\frac{v^2}{\delta}\left(0.6 - 0.4v - \frac{1-v}{5\delta}\right) \right]$$

$${}_3p_x \int_3^4 \left(1 - \frac{t}{5}\right) v^t {}_{t-3}p_{x+3}\mu_{x+3+t} \ dt = {}_3p_x q_{x+3}\left[\frac{v^3}{\delta}\left(0.4 - 0.2v - \frac{1-v}{5\delta}\right) \right]$$

$${}_4p_x \int_4^5 \left(1 - \frac{t}{5}\right) v^t {}_{t-4}p_{x+4}\mu_{x+4+t} \ dt = {}_4p_x q_{x+4}\left[\frac{v^4}{\delta}\left(0.2 - \frac{1-v}{5\delta}\right) \right]$$

$$\therefore \ APV = 0.2708524X$$

판매가격의 비율은 $\dfrac{0.2708524X}{X} = 0.2708524$

문제 28번

 답 해설 참조

풀이 --

문제에서 주어진 장래생존기간의 확률밀도함수의 형태를 잘 보면 표준정규분포의 모양임을 알 수 있다. 주어진 확률밀도함수를 정리하면

$$f_{T(x)}(t) = 2\frac{1}{\sqrt{2\pi}\,10}e^{-\frac{(t-0)^2}{2\times 10^2}},\ t > 0 \text{ (평균이 0이고, } 10^2 \text{분산이 인 정규분포의 확률밀도함수)}$$

('2'의 의미: 원래 확률밀도함수는 $(-\infty, \infty)$로 정의되는데 t가 0보다 큰 구간에서만 확률밀도함수가 정의되므로, 전체 확률이 1이 되기 위해서는 2를 곱해주어야 한다.)

또한 식을 유도하는데 사용할 표준정규분포의 누적함수는

$$\Phi(Z) = \int_{-\infty}^{z} \frac{1}{\sqrt{2\pi}}e^{-\frac{u^2}{2}}du$$

(1) $\displaystyle \overline{A}_x = \int_0^{\infty} v^t\,_tp_x\mu_{x+t}\ dt$

$\displaystyle \qquad = \int_0^{\infty} v^t f_{T(x)}(t)\ dt$

$\displaystyle \qquad = \int_0^{\infty} e^{-0.05t} 2\frac{1}{\sqrt{200\pi}}e^{-\frac{t^2}{200}}\ dt$

$\displaystyle \qquad = 2\int_0^{\infty} e^{-0.05t}\frac{1}{\sqrt{200\pi}}e^{-\frac{t^2}{200}}\ dt$

$\displaystyle \qquad = 2\int_0^{\infty} \frac{1}{\sqrt{200\pi}}e^{-\frac{t^2+10t}{200}}\ dt$

$\displaystyle \qquad = 2e^{0.125}\int_0^{\infty} \frac{1}{\sqrt{200\pi}}e^{-\frac{t^2+10t}{200}}\ e^{-0.125}dt$

$\displaystyle \qquad = 2e^{0.125}\int_0^{\infty} \frac{1}{\sqrt{200\pi}}e^{-\frac{t^2+10t+25}{200}}\ dt$

$\displaystyle \qquad = 2e^{0.125}\int_0^{\infty} \frac{1}{\sqrt{200\pi}}e^{-\frac{(t+5)^2}{200}}\ dt$

($\mu = -5$, $\sigma^2 = 100$인 정규분포를 표준화시켜 0부터 적분하면)

$\displaystyle \qquad = 2e^{0.125}[(1-\Phi(0.5))] = 0.6992$

(2) $^2\overline{A}_x = \int_0^\infty v^{2t} \, {}_tp_x\mu_{x+t} \, dt$ (1)과 같은 방식으로 식을 정리하면

$$= 2e^{0.5}\int_0^\infty \frac{1}{\sqrt{200\pi}} e^{-\frac{(t+10)^2}{200}} \, dt \left(\mu = -10, \ \sigma^2 = 100\right)$$

$$= 2e^{0.125}\left[(1 - \Phi(1))\right] = 0.5232$$

(3) $Var(Z) = E[Z^2] - (E[Z])^2 = {}^2\overline{A}_x - (\overline{A}_x)^2 = 0.0343$

(4) $Z = v^T$의 50분위수

장래 생존기간의 현가 v^T의 50분위수 $\xi_Z^{0.5}$는 표준 정규분포에서 75분위수를 찾아야 한다.

$Z > 0$인 부분을 고려하기 때문에 0 이상인 부분에서 50분위수가 표준정규분 포의 75분위수인 것이다.

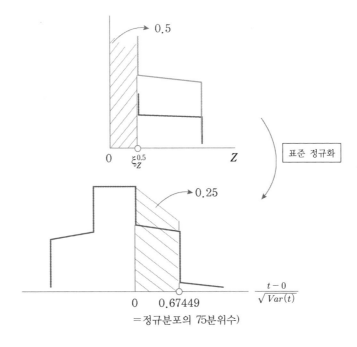

$\Phi(0.75) = 0.67449$이고, 다시 정규화 전의 분포로 돌아가기 위해 정규화 할 때 나누어 주었던 $\sigma = 10$을 곱해주면 6.7449는 t의 50분위수이고, 따라서 우리가 구하고자 하는 $Z = v^t$의 50분위수는 $v^{6.7449}$가 된다.

∴ $\xi_Z^{0.5} = 0.7137340$ (문제와는 단수차이)

(5) $\dot{e}_x = E[T], \quad \overline{A}_x = E[v^t]$

$$E[T] = \int_0^\infty t \frac{2}{\sqrt{200\pi}} e^{-\frac{t^2}{200}} dt = \frac{1}{\sqrt{200\pi}} \int_0^\infty 2te^{-\frac{t^2}{200}} dt$$

$$= \frac{200}{\sqrt{200\pi}} = 0.671029 < 0.6992 = E[v^T]$$

문제 29번

📋 해설 참조

$(Pf)\, v = e^{-\delta}$이므로 $\delta > 0$일 때, $0 < v < 1$.

생존확률변수를 T라고 둘 때, $\dot{e}_x = E[T]$, $\overline{A}_x = E[v^T]$.

$Suppose \quad f(T) = -v^T \quad 0 < T < \omega, \quad 0 < v < 1.$,

$Then\ by\ Jensen\ Inequality, -v^{E[T]} \geq E[-v^T]$

$\Rightarrow v^{E[T]} \leq E[v^T] \quad i.e.\ v^{\dot{e}_x} \leq \overline{A}_x$

3장 생명연금

문제 1번

📋 (a) 18.843
(b) 0.617
(c) 13,932,389

(a) $\Pr\left(\dfrac{1-v^T}{\delta} < \alpha\right) = 0.95$를 구하라고 할 때, ${}_t p_{60} = 0.05$를 만족하는 t를 구하여 T에 대입하면 된다. 5%까지 살아있는 사람은 95th $percentile$의 연금을 갖는다는 논리이다.

${}_t p_{60} = 1 - \dfrac{t}{60} = 0.05$

$t = 57,\ \alpha = \dfrac{1 - e^{-0.05 \times 57}}{0.05} = 18.843114$

(b) $\Pr\left(\dfrac{1-v^T}{\delta} > \dfrac{1-\overline{A}_{60}}{\delta}\right) = \Pr\left(\dfrac{1-v^T}{\delta} > \dfrac{1-\overline{A}_{60}}{\delta}\right) = \Pr\left(\overline{A}_{60} > v^T\right)$

$\qquad\qquad = \Pr\left(\dfrac{\overline{a}_{\overline{60|}}}{60} > e^{-0.05T}\right) = \Pr\left(\dfrac{1-e^{-0.05 \times 60}}{0.05 \times 60} > e^{-0.05T}\right)$

$\qquad\qquad = \Pr(22.993629 < T) = {}_{22.993629}p_{60} = 1 - \dfrac{22.993629}{60}$

$\qquad\qquad = 0.616773$

(c) X를 60세인 사람이 받는 연금액 현가 확률변수라고 하자. 1000명 집단의 평균과 분산은 다음과 같다.

(이들의 장래생존기간은 독립임을 가정한다)

집단의 평균: $1{,}000\,E[X] = 13{,}665{,}247.12$

집단의 분산: $1{,}000\,Var[X] = 26{,}372{,}505{,}980$

집단의 표준편차: $\sqrt{1{,}000\,Var[X]} = 162{,}396.1391$

$E[X] = 1{,}000\,\overline{a}_{60} = 1{,}000 \times \dfrac{1-\overline{A}_{60}}{\delta} = 1{,}000 \times \dfrac{1-\dfrac{\overline{a}_{\overline{60|}}}{60}}{\delta} = 13{,}665.24712$

$Var[X] = \dfrac{1{,}000{,}000 \times \left({}^{2}\overline{A}_{60} - \left(\overline{A}_{60}\right)^2\right)}{\delta^2} = \dfrac{1{,}000{,}000 \times \left({}^{2}\overline{A}_{60} - \left(\overline{A}_{60}\right)^2\right)}{0.05^2}$

$\qquad\quad = 26{,}372{,}505.98$

${}^{2}\overline{A}_{60} = \displaystyle\int_0^{60} v^{2t}\,{}_tp_x\,\mu_{x+t}\,dt = \dfrac{1}{60}\int_0^{60} v^{2t}\,dt = \dfrac{1}{60} \times \dfrac{1-e^{-0.05 \times 120}}{2 \times 0.05} = 0.166254$

$\overline{A}_{60} = \displaystyle\int_0^{60} v^t\,{}_tp_x\,\mu_{x+t}\,dt = \dfrac{1}{60}\int_0^{60} v^t\,dt = \dfrac{1}{60} \times \dfrac{1-e^{-0.05 \times 60}}{0.05} = 0.316738$

기금의 규모는 확률변수 $1{,}000X$의 $95^{th}\ percentile$의 금액이다.

$\therefore\ 1{,}000\,E[X] + 1.645\ \sqrt{1{,}000\,Var[X]} = 13{,}932{,}388.77$

문제 2번

📦 답   3.033

📝 풀이 --

$\overline{a}_x = \displaystyle\int_0^{\infty} e^{-\delta t} \times e^{-\mu t}\,dt = \dfrac{1}{\mu + \delta} = \dfrac{1}{0.02 + 0.03} = 20$

$\overline{a}_x{}' = \displaystyle\int_0^{10} v^t\,{}_tp_x\,dt + \int_{10}^{\infty} v^t\,{}_tp_x\,dt$

$\qquad = \displaystyle\int_0^{10} v^t\,{}_tp_x\,dt + \int_0^{\infty} v^{t+10}\,{}_tp_x\,dt$

$$= \int_0^{10} v^t {}_tp_x \, dt + v^{10} \int_0^\infty v^t {}_{10}p_x {}_tp_{x+10} \, dt$$

$$= \int_0^{10} v^t {}_tp_x \, dt + v^{10} {}_{10}p_x \int_0^\infty v^t {}_tp_{x+10} \, dt$$

$$= \int_0^{10} v^t {}_tp_x \, dt + v^{10} {}_{10}p_x \int_0^\infty v^t {}_tp_{x+10} \, dt$$

$$= -\frac{1}{0.03+0.02} \left[e^{-(0.03+0.02)t} \right]_0^{10} + e^{-(0.3+0.2)} \times \frac{1}{0.01+0.03}$$

$$= -\frac{1}{0.03+0.02} \left(e^{-(0.03+0.02)10} - 1 \right) + e^{-(0.3+0.2)} \times \frac{1}{0.01+0.03}$$

$$= 23.032653$$

$$\therefore \bar{a}_x{}' - \bar{a} = 23.032653 - 20 = 3.032653$$

문제 3번

📄 답 40.547

✏️ 풀이 --

$$\mu \sim Uniform \ (0.01, \ 0.02)$$

$$\bar{a}_x = E\left[E\left[\bar{a}_{\overline{T_x}} | \mu \right] \right]$$

$$= \int_{0.01}^{0.02} \left(\int_0^\infty v^t {}_tp_x \, dt \right) f(\mu) \, d\mu$$

$$= 100 \times \int_{0.01}^{0.02} \int_0^\infty e^{-\delta t} \times e^{-\mu t} \, dt \, d\mu$$

$$= 100 \times \int_{0.01}^{0.02} \int_0^\infty e^{-(0.01+\mu)t} \, dt \, d\mu$$

$$= 100 \times \int_{0.01}^{0.02} \frac{1}{0.01+\mu} \, d\mu$$

$$= 100 \times \left[\ln(0.01+\mu) \right]_{0.01}^{0.02}$$

$$= 100 \times (\ln 0.03 - \ln 0.02)$$

$$= 40.546511$$

문제 4번

📄 답 해설 참조

풀이

(a) $Var[Y] = Var\left[\dfrac{1-v^{T \wedge n}}{\delta}\right] = \dfrac{1}{\delta^2} Var[v^{T \wedge n}] = \dfrac{1}{\delta^2}\left(E[v^{2(T \wedge n)}] - E[v^{T \wedge n}]^2\right)$

$\qquad = \dfrac{1}{\delta^2}\left(\displaystyle\int_0^n v^{2t}\,_tp_x\mu_{x+t}dt + v^{2n}\,_np_x - E[v^{T \wedge n}]^2\right)$

$\qquad = \dfrac{1}{\delta^2}\left(\displaystyle\int_0^n v^{2t}\,_tp_x\mu_{x+t}dt + v^{2n}\,_np_x - \left(\overline{A}_{x:\overline{n}|}\right)^2\right)$

부분적분법을 사용하여 밑의 식을 구하면,

$\displaystyle\int_0^n v^{2t}\,_tp_x\mu_{x+t}dt = \left[-v^{2t} \times \,_tp_x\right]_0^n - 2\delta\displaystyle\int_0^n v^{2t}\,_tp_x dt = 1 - v^{2n}\,_np_x - 2\delta \times \,^2\overline{a}_{x:\overline{n}|}$

$\overline{A}_{x:\overline{n}|} = 1 - \delta\,\overline{a}_{x:\overline{n}|}$

$\left(\overline{A}_{x:\overline{n}|}\right)^2 = \left(1 - \delta\,\overline{a}_{x:\overline{n}|}\right)^2 = \left(\delta\,\overline{a}_{x:\overline{n}|}\right)^2 - 2\delta\,\overline{a}_{x:\overline{n}|} + 1$

$\dfrac{1}{\delta^2}\left(\displaystyle\int_0^n v^{2t}\,_tp_x\mu_{x+t}dt + v^{2n}\,_np_x - \left(\overline{A}_{x:\overline{n}|}\right)^2\right)$

$\qquad = \dfrac{1}{\delta^2}\left(1 - v^{2n}\,_np_x - 2\delta \times \,^2\overline{a}_{x:\overline{n}|} + v^{2n}\,_np_x - \left(\delta^2\,\overline{a}_{x:\overline{n}|}\right)^2 + 2\delta\,\overline{a}_{x:\overline{n}|} - 1\right)$

$\qquad = \dfrac{1}{\delta^2}\left(-2\delta \times \,^2\overline{a}_{x:\overline{n}|} - \left(\delta\,\overline{a}_{x:\overline{n}|}\right)^2 + 2\delta\,\overline{a}_{x:\overline{n}|}\right)\Big\}$

$\qquad = \dfrac{2}{\delta}\left(\overline{a}_{x:\overline{n}|} - \,^2\overline{a}_{x:\overline{n}|}\right) - \left(\overline{a}_{x:\overline{n}|}\right)^2$

(b) $Var[Y] = E[Y^2] - (E[Y])^2$

$\qquad E[Y^2] = \displaystyle\int_n^\infty \left(\overline{a}_{\overline{t}|} - \overline{a}_{\overline{n}|}\right)^2\,_tp_x\mu_{x+t}dt = \displaystyle\int_n^\infty \left(\dfrac{v^n - v^t}{\delta}\right)^2\,_tp_x\mu_{x+t}dt$

$\qquad = \displaystyle\int_0^\infty \left(\dfrac{v^n - v^{t+n}}{\delta}\right)^2\,_{t+n}p_x\mu_{x+t+n}dt = v^{2n}\,_np_x \times \displaystyle\int_0^\infty \left(\dfrac{1 - v^t}{\delta}\right)^2\,_tp_{x+n}\mu_{x+t+n}dt$

앞선 (a)에서 $E[Y^2]$은 $\dfrac{2}{\delta}\left(\overline{a}_{x:\overline{n}|} - \,^2\overline{a}_{x:\overline{n}|}\right)$이므로,

$\qquad \displaystyle\int_0^\infty \left(\dfrac{1 - v^t}{\delta}\right)^2\,_tp_{x+n}\mu_{x+t+n}dt = \dfrac{2}{\delta}\left(\overline{a}_{x+n} - \,^2\overline{a}_{x+n}\right)$

$\qquad Var[Y] = v^{2n}\,_np_x \times \dfrac{2}{\delta}\left(\overline{a}_{x+n} - \,^2\overline{a}_{x+n}\right) - \left(_{n|}\overline{a}_x\right)^2$

문제 5번

답 31.075

$_tp_{40} = 0.25t$를 만족하는 t를 구하자. 25%까지 살아있는 사람은 75th $percentile$의 연금을 갖는다는 논리이다.

$$_tp_{40} = 1 - \frac{t}{80} = 0.25$$

$$t = 60$$

$$\frac{1-v^{60}}{\delta} = \frac{1-e^{0.025 \times 60}}{0.025} = 31.074793$$

문제 6번

 0.051

확률변수 Y의 확률분포표를 만들어보자.

Y	$\Pr(Y=y)$
$\ddot{a}_{\overline{1}\|}(=1)$	$\dfrac{1}{80}$
$\ddot{a}_{\overline{2}\|}(=1+v)$	$\dfrac{1}{80}$
$\ddot{a}_{\overline{3}\|}(=1+v+v^2)$	$\dfrac{78}{80}$

$$E[Y^2] = 1 \times \frac{1}{80} + \left(1 + \frac{1}{1.06}\right)^2 \times \frac{1}{80} + \left(1 + \frac{1}{1.06} + \frac{1}{1.06^2}\right)^2 \times \frac{78}{80} = 7.887121013$$

$$E[Y]^2 = \left[1 \times \frac{1}{80} + \left(1 + \frac{1}{1.06}\right) \times \frac{1}{80} + \left(1 + \frac{1}{1.06} + \frac{1}{1.06^2}\right) \times \frac{78}{80}\right]^2 = 7.836362117$$

$$Var[Y] = E[Y^2] - (E[Y])^2 = 0.050759$$

문제 7번

 538.348

$$K \times \ddot{a}_{\overline{10}\|} + K \times A_{40:\frac{1}{10}\|} \times \ddot{a}_{50} = 10,000$$

$$A_{40} = A^{1}_{40:\overline{10}\|} + A_{40:\frac{1}{10}\|} \times A_{50}$$

$$\ddot{a}_{\overline{10}\|} = \frac{1-v^{10}}{d} = 8.4353$$

$$A_{40:\overline{10|}}^{1} = \frac{A_{40} - A_{40:\overline{10|}}^1}{A_{50}} = \frac{0.3 - 0.09}{0.35} = 0.6$$

$$\ddot{a}_{50} = \frac{1 - A_{50}}{d} = \frac{1 - 0.35}{\dfrac{0.04}{1.04}} = 16.9$$

$$K \times (8.4353 + 0.6 \times 16.9) = 10,000$$

$$\therefore K = 538.348397$$

문제 8번

 5,934.52

 풀이

$$\ddot{a}_{80} = vp_{80}\ddot{a}_{81} + 1$$

$$p_{80} = \frac{\ddot{a}_{80} - 1}{v\ddot{a}_{81}} = 0.890967, \ q_{80} = 1 - p_{80} = 0.109033$$

$$q_{[80]} = 0.5q_{80} = 0.054516, \ p_{[80]} = 1 - q_{[80]} = 0.945484$$

$$\ddot{a}_{80}^{\ New} = vp_{[80]}\ddot{a}_{81} + 1 = 5.934524$$

$$1,000\ddot{a}_{80}^{\ New} = 5,934.523810$$

문제 9번

 0.835

풀이

$$\ddot{a}_{45} = \sum_{k=0}^{\infty} v^k {}_k p_{45} = \sum_{k=0}^{\infty} v^k e^{-0.01k} = \frac{1}{\left(1 - v \times e^{-0.01}\right)} = 17.514547$$

$${}_{6|}\ddot{a}_{45} = \ddot{a}_{45} - \ddot{a}_{45:\overline{6|}} = 12.101847$$

$$\Pr\left[H > {}_{6|}\ddot{a}_{45}\right] = \Pr\left[H > 12.101847\right] = {}_{18}p_{45}$$

※ H는 매년 지급된 연금액들의 합을 나타내는 확률변수로, 현가의 개념이 아니다.
　　그러므로 $H > 12.101847$를 만족하기 위해선 13번 연금액을 지급받아야한다.
　　6년 거치 기시급이므로 13번 연금액을 지급받는 데 걸리는 기간은 총 18년이다.

$${}_{18}p_{45} = e^{-0.18} = 0.83527$$

문제 10번

 (a) 11.205
　　(b) 9.87

(a) $\bar{a}_{x:\overline{20|}} = \int_0^{20} v^t {}_t p_x dt = \int_0^{20} e^{-0.05t} \times \left(0.5 e^{-0.02t} + 0.5 e^{-0.01t}\right)$

$\qquad = 0.5 \int_0^{20} e^{-0.07t} dt + 0.5 \int_0^{20} e^{-0.06t} dt$

$\qquad = 0.5 \left(\dfrac{1 - e^{-1.4}}{0.07} + \dfrac{1 - e^{-1.2}}{0.06}\right) = 11.204832$

(b) $A_{40:\overline{10|}} = 0.62, \ A_{40:\overline{10|}}^{\ 1} = 0.03, \ A_{40} = 0.15$

$_{10|}\ddot{a}_x = \ddot{a}_x - \ddot{a}_{x:\overline{10|}}$

$\ddot{a}_x = \dfrac{1 - A_{40}}{d} = 17.85, \ \ddot{a}_{x:\overline{10|}} = \dfrac{1 - A_{40:\overline{10|}}}{d} = 7.98$

$_{10|}\ddot{a}_x = 17.85 - 7.98 = 9.87$

문제 11번

답 −0.213

풀이

$Cov(Y,Z) = E[YZ] - E[Y]E[Z]$

$E[Y] = \bar{a}_{x:\overline{20|}} = \dfrac{1 - \bar{A}_{x:\overline{20|}}}{\delta} = \dfrac{1 - \left(0.062 + v^{20}{}_{20}p_x\right)}{\delta}$

$v^{20}{}_{20}p_x = e^{-0.04 \times 20} \times 0.99160 = 0.44933 \times 0.99160 = 0.44556$

$E[Y] = \bar{a}_{x:\overline{20|}} = \dfrac{1 - \bar{A}_{x:\overline{20|}}}{\delta} = \dfrac{1 - \left(0.062 + v^{20}{}_{20}p_x\right)}{\delta} = \dfrac{1 - (0.062 + 0.44556)}{0.04} = 12.311$

$E[Z] = \bar{A}_{x:\overline{20|}}^{\ 1} = 0.062$

$Y = \bar{a}_{\overline{T_x|}} = \dfrac{1 - v^{T_x}}{\delta}, \ Z = v^{T_x}$

$YZ = \dfrac{v^{T_x} - v^{2T_x}}{\delta}$

$\therefore E[YZ] = \dfrac{\bar{A}_{x:\overline{20|}}^{\ 1} - {}^2\bar{A}_{x:\overline{20|}}^{\ 1}}{\delta} = \dfrac{0.062 - 0.04}{0.04} = 0.55$

$\therefore Cov(Y,Z) = 0.55 - 12.311 \times 0.062 = -0.21329$

문제 12번

답 0.895

$$Y = \overline{a}_{\overline{T_{40}|}} = \Pr\left[\frac{1-v^{T_{40}}}{\delta} \le 10\right]$$

$$= \Pr\left[\frac{1-e^{-0.03 \times t}}{0.03} \le 10\right] = \Pr\left[0.7 \le e^{-0.03 \times t}\right] = \Pr\left[\frac{-\ln(0.7)}{0.03} \ge t\right]$$

$$= \Pr\left[\frac{0.35667}{0.3} \ge t\right] = \Pr\left[11.88916 \ge t\right]$$

$$\therefore \ _{11.88916}p_{40} = \left(\frac{60-11.8896}{60}\right)^{0.5} = 0.89546$$

문제 13번

📋 답 65,098.637

$$\mu \ \sim \ Uniform(0.5, 1)$$

요양비용의 보험수리적 현가 $= 50,000 \times \left(\frac{1}{\mu+\delta}\right)$

$$= \int_{0.5}^{1} \frac{1}{0.5} 50,000\left(\frac{1}{\mu+\delta}\right)d\mu$$

$$= 2 \times 50,000 \times \int_{0.5}^{1}\left(\frac{1}{\mu+0.045}\right)d\mu$$

$$= 100,000 \times \ln(\mu+0.045)\,|_{0.5}^{1}$$

$$= 100,000 \times \ln\left(\frac{1.045}{0.545}\right) = 65,098.63697$$

문제 14번

📋 답 1.758

$$_{1|}a_{70:\overline{2|}} = v^2 \,_2p_{70} + v^3 \,_3p_{70}$$

$$_2p_{70} = \exp\left(-\int_{0}^{2}\mu_{70+s}ds\right) = \exp\left(-\int_{0}^{2}(0.0002 + 0.000003 \times 1.1^{70+s})ds\right)$$

$$\int_{0}^{2}(0.0002 + 0.000003 \times 1.1^{70+s})ds = 0.0004 + 0.000003 \times 1.1^{70} \times \frac{1.1^s}{\ln(1.1)}\bigg|_{0}^{2}$$

$$= 0.00562$$

$$\therefore \ _2p_{70} = \exp(-0.00562) = 0.99440$$

$$_3p_{70} = \exp\left(-\int_0^3 \mu_{70+s}ds\right) = \exp\left(-\int_0^3 (0.0002 + 0.000003 \times 1.1^{70+s})ds\right)$$

$$\int_0^3 (0.0002 + 0.000003 \times 1.1^{70+s})ds = 0.0006 + 0.000003 \times 1.1^{70} \times \frac{1.1^s}{\ln(1.1)}\Big|_0^3$$

$$= 0.008828$$

$$\therefore \ _2p_{70} = \exp(-0.008828) = 0.991211$$

$$_{1|}a_{70:\overline{2}|} = v^2 {}_2p_{70} + v^3 {}_3p_{70} = \frac{0.99440}{1.05^2} + \frac{0.991211}{1.05^3} = 1.758191$$

문제 15번

답 350.991

풀이

NSP에 관한 등식을 만들면

$$NSPA_{30:\overline{30}|}^1 + {}_{30}E_{30}200\ddot{a}_{60} = NSP$$

$$A_{30:\overline{30}|}^1 = A_{30} - {}_{30}E_{30}A_{60} = \frac{102.48}{1,000} - 0.150045 \times \frac{369.13}{1,000} = 0.047094$$

$$_{30}E_{30} = {}_{10}E_{30}{}_{20}E_{40} = \frac{547.33}{1,000} \times \frac{274.14}{1,000} = 0.150045$$

$$NSP = \frac{{}_{30}E_{30} \times 200 \times \ddot{a}_{60}}{1 - A_{30:\overline{30}|}^1} = 350.99198$$

문제 16번

답 13.970

풀이

$$Var\left(\overline{a}_{\overline{T}|}\right) = \frac{{}^2\overline{A}_x - \left(\overline{A}_x\right)^2}{\delta^2}$$

$$\overline{A}_x = \frac{\mu}{\mu + \delta} = \frac{\mu}{\mu + 0.08} = 0.3443\mu = 0.042007$$

$$^2\overline{A}_x = \frac{\mu}{\mu + 2\delta} = \frac{0.042007}{0.042007 + 2 \cdot 0.08} = 0.207948$$

$$Var\left(\overline{a}_{\overline{T}|}\right) = \frac{{}^2\overline{A}_x - \left(\overline{A}_x\right)^2}{\delta^2} = \frac{0.207948 - 0.3443^2}{0.08^2} = 13.96961$$

문제 17번

답 0.507

풀이

$$_{20|}\overline{a}_{45} = {}_{20}E_{45}\,\overline{a}_{65}$$

$$_{20}E_{45} = v^{20}\,{}_{20}p_{45} = \left(\frac{1}{1.05}\right)^{20}\frac{60-20}{60} = 0.25126$$

$$\overline{A}_{65} = \frac{\overline{a}_{\overline{w-x|}}}{w-x} = \frac{\overline{a}_{\overline{40|}}}{40} = 0.439614\left(\overline{a}_{\overline{40|}} = \frac{1-v^{40}}{\delta} = 17.58458\right)$$

$$\therefore\ \overline{a}_{65} = \frac{1-\overline{A}_{65}}{\delta} = 11.48563$$

$$_{20|}\overline{a}_{45} = {}_{20}E_{45}\,\overline{a}_{65} = 0.25126 \times 11.48563 = 2.885879$$

$$\overline{a}_{\overline{20|}} = \frac{1-v^{20}}{\delta} = 12.77123$$

$$\mathrm{Pr}\left(\overline{a}_{\overline{T|}} - \overline{a}_{\overline{20|}} > 2.885879\right) = \mathrm{Pr}\left(\overline{a}_{\overline{T|}} > 15.65711\right) = \mathrm{Pr}\left(\frac{1-\left(\frac{1}{1.05}\right)^{t}}{\ln(1.05)} > 15.65711\right)$$

$$\mathrm{Pr}(0.236087 > 1.05^{-t}) = \mathrm{Pr}(1.443555 < t \times \ln(1.05)) = \mathrm{Pr}(t > 29.58701)$$

$$\therefore\ {}_{29.58701}p_{45} = \frac{60-29.58701}{60} = 0.506883$$

문제 18번

답 0.977

풀이

$$\overline{a}_{x} = \frac{1}{\mu+\delta} = \frac{1}{0.03+0.05} = 12.5$$

$$g = s.d\left(\overline{a}_{\overline{T(x)|}}\right) = \sqrt{\frac{{}^{2}\overline{A}_{x} - \left(\overline{A}_{x}\right)^{2}}{\delta^{2}}}$$

$$\overline{A}_{x} = \frac{\mu}{\mu+\delta} = \frac{0.03}{0.03+0.05} = 0.375$$

$${}^{2}\overline{A}_{x} = \frac{\mu}{\mu+2\delta} = \frac{0.03}{0.03+0.1} = 0.230769$$

$$\therefore\ g = s.d\left(\overline{a}_{\overline{T(x)|}}\right) = \sqrt{\frac{{}^{2}\overline{A}_{x} - \left(\overline{A}_{x}\right)^{2}}{\delta^{2}}} = \sqrt{\frac{0.230769 - 0.375^{2}}{0.05^{2}}} = 6.00$$

$$\Pr\left(\overline{a}_{\,\overline{T(x)|}} > \overline{a}_x - g\right) = \Pr\left(\overline{a}_{\,\overline{T(x)|}} > 6.5\right) = \Pr\left(\frac{1-e^{-\delta t}}{\delta} > 6.5\right) = \Pr\left(1-e^{-\delta t} > 0.325\right)\Big\}$$

$$= \Pr\left(0.675 > e^{-0.05t}\right) = \Pr\left(0.393043 < 0.05t\right)$$

$$= \Pr\left(t > 7.860852\right)$$

$$\therefore \ _{7.860852}p_x = \exp(-\mu t) = \exp(-0.03 \times 7.860852) = 0.976693$$

문제 19번

답 7.878%

풀이

$e_x = p_x(1+e_{x+1}) \rightarrow 8.83 = p_x(1+8.29), \ \therefore p_x = 0.950484$

$\ddot{a}_{x\,:\,\overline{2|}} = \ddot{a}_{\overline{2|}} + \,_{2|}\ddot{a}_x \ (\because \ _{2|}\ddot{a}_x = \ddot{a}_x - 1 - v \cdot p_x)$

$\ddot{a}_{x\,:\,\overline{2|}} = \ddot{a}_{\overline{2|}} + \ddot{a}_x - 1 - v \cdot p_x$

$\ddot{a}_x - 1 - v \cdot p_x = 5.6 - 1 - v \cdot 0.950484$

$\ddot{a}_{\overline{2|}} = \dfrac{1-v^2}{d} = \dfrac{(1-v) \cdot (1+v)}{1-v} = (1+v)$

$\ddot{a}_{x\,:\,\overline{2|}} = 5.6459 = (1+v) + 5.6 - 1 - v \cdot 0.950484$

$0.049516v = 0.0459$

$v = 0.926973$

$\therefore i = \dfrac{1}{0.926973} - 1 = 0.07877996$

문제 20번

답 14.106

풀이

비흡연자: $\overline{A}_x^{non-smoker} = \dfrac{\mu^{non-smoker}}{\mu^{non-smoker} + \delta} = \dfrac{3}{11}$,

$^2\overline{A}_x^{non-smoker} = \dfrac{\mu^{non-smoker}}{\mu^{non-smoker} + 2\delta} = \dfrac{3}{19}$

흡연자: $\overline{A}_x^{smoker} = \dfrac{\mu^{smoker}}{\mu^{smoker} + \delta} = \dfrac{6}{14}, \ ^2\overline{A}_x^{smoker} = \dfrac{\mu^{smoker}}{\mu^{smoker} + 2\delta} = \dfrac{6}{22}$

전체집단: $\overline{A}_x = 0.3 \cdot \overline{A}_x^{smoker} + 0.7 \cdot \overline{A}_x^{non-smoker} = 0.319480519$

$^2\overline{A}_x = 0.3 \cdot \overline{A}_x^{smoker} + 0.7 \cdot \overline{A}_x^{non-smoker} = 0.192344498$

$$\therefore \ Var\left(\bar{a}_{\overline{T(x)|}}\right) = \frac{^2\overline{A}_x - \left(\overline{A}_x\right)^2}{\delta^2} = \frac{0.192344498 - 0.319480519^2}{0.08^2} = 14.10573369$$

문제 21번

 114.179

연금액의 현가를 나타내는 확률변수 X라고 할 때,

X	$\Pr(X=x)$
15	0.05
$15+20v$	$0.95 \times 0.1 = 0.095$
$15+20v+25v^2$	$0.95 \times 0.9 = 0.855$

$$E[X^2] = 15^2 \times 0.05 + (15+20v)^2 \times 0.095 + \left(15+20v+25v^2\right)^2 \times 0.855 = 2,812.794$$
$$E[X] \ = 15 \ \times 0.05 + (15+20v) \ \times 0.095 + \left(15+20v+25v^2\right) \ \times 0.855 = 51.9482$$
$$Var[X] = E[X^2] - (E[X])^2 = 2,812.794252 - 2,698.615713 = 114.1785$$

문제 22번

 12.461

연금액의 현가를 나타내는 확률변수 Y라고 할 때,

Y	$P(Y=y)$
10	$_{30}q_{40} = \dfrac{30}{110-40}$
$10+20v^{30}$	$_{30|30}q_{40} = \dfrac{30}{110-40}$
$10+20v^{30}+30v^{60}$	$_{60|10}q_{40} = \dfrac{10}{110-40}$

$$E[Y^2] = 10^2 \times \frac{3}{7} + (10+20v^{30})^2 \times \frac{3}{7} + (10+20v^{30}+30v^{60})^2 \times \frac{1}{7} = 206.53518$$
$$E[Y] = 10 \ \times \frac{3}{7} + (10+20v^{30}) \ \times \frac{3}{7} + (10+20v^{30}+30v^{60}) \ \times \frac{1}{7} = 13.931044$$
$$Var[Y] = E[Y^2] - (E[Y])^2 = 206.53518 - 194.073977 = 12.461203$$

문제 23번

 (a) 해설 참조
(b) 2,891.5
(c) 156,727.75

Y	$P(Y=y)$
1000	0.03
$1000 + 1050 \times \dfrac{1}{1.05}$	$0.97 \times 0.05 = 0.0485$
$1000 + 1050 \times \dfrac{1}{1.05} + 1092 \times \dfrac{1}{1.05 \times 1.04}$	$0.97 \times 0.95 = 0.9215$

$$E[Y^2] = 1,000^2 \times 0.03 + 2,000^2 \times 0.0485 + 3,000^2 \times 0.9215 = 8,517,500$$

$$E[Y] = 1,000 \times 0.03 + 2,000 \times 0.0485 + 3,000 \times 0.9215 = 2,891.5$$

$$Var[Y] = E[Y^2] - (E[Y])^2 = 8,517,500 - 8,360,772.25 = 156,727.75$$

문제 24번

 0.071

(i) $0.09\left(\ddot{a}_{\overline{10|}} + {}_{10}E_{55} \times \ddot{a}_{65}\right)$

$\ddot{a}_{\overline{10|}} = \dfrac{1-v^{10}}{d} = 7.801692$

$0.09\left(\ddot{a}_{\overline{10|}} + {}_{10}E_{55} \times \ddot{a}_{65}\right) = 0.09(7.801692 + 0.48686 \times 9.8969) = 1.135809$

(ii) $a \times {}_{5}E_{55} \times \left[\left(\ddot{a}_{\overline{10|}} + v^5 a_{\overline{5|}}\right) + 3\left({}_{10}E_{60} \times \ddot{a}_{\overline{70}}\right)\right]$

※연금개시 전엔 사망관련 보장이 없다!

$\ddot{a}_{\overline{10|}} = \dfrac{1-v^{10}}{d} = 7.801692$

$v^5 \ddot{a}_{\overline{5|}} = v^5 \times \dfrac{1-v^5}{d} = 3.336587$

$a \times {}_{5}E_{55}\left[\left(\ddot{a}_{\overline{10|}} + v^5 \ddot{a}_{\overline{5|}}\right) + 3\left({}_{10}E_{60} \times \ddot{a}_{\overline{70}}\right)\right]$

$a \times 0.7081 \times \left[(7.801692 + 3.336587) + (3 \times 0.4512 \times 8.5693)\right] = 1.135809$

$a = 0.070545$

문제 25번

답 2.674

풀이 --

$K(30)=0 \to \ddot{a}_{\overline{1}|}, \ K(30)=1 \to \ddot{a}_{\overline{2}|}, \ K(30)=2,\cdots,70 \to \ddot{a}_{\overline{3}|}$

$\ddot{a}_{\overline{1}|} \times \Pr(K(30)=0)+\ddot{a}_{\overline{2}|} \times \Pr(K(30)=1)+\ddot{a}_{\overline{3}|} \times \Pr(2 \leq K(30) \leq 70)$

$1 \times \dfrac{1}{70}+(1+v) \times \dfrac{1}{70}+(1+v+v^2) \times \dfrac{68}{70}=2.674$

4장 보험료

문제 1번

답 (1) $P=0.025$

(2) $P=0.021$

(3) $P=0.054$

풀이 --

(1) $\overline{P}\left(\overline{A}_{45}\right)=\dfrac{\overline{A}_{45}}{\overline{a}_{45}}=\dfrac{\delta \overline{A}_{45}}{1-\overline{A}_{45}}$

$\overline{A}_{45}=\displaystyle\int_0^{55} v^t \ {}_t p_{45} \mu_{45+t} dt=\int_0^{55} e^{-0.06t}\left(\dfrac{55-t}{55}\right)\left(\dfrac{1}{55-t}\right)dt$

$=\dfrac{1}{55} \times \dfrac{-1}{0.06}\left[e^{-0.06t}\right]_0^{55}=0.291854$

$\therefore \ \overline{P}\left(\overline{A}_{45}\right)=\dfrac{0.06 \cdot 0.291854}{1-0.291854}=0.02472829$

(2) $\overline{P}\left(\overline{A}_{45:\overline{20}|}^{\ 1}\right)=\dfrac{\overline{A}_{45:\overline{20}|}^{\ 1}}{\overline{a}_{45:\overline{20}|}}=\dfrac{\delta \overline{A}_{45:\overline{20}|}^{\ 1}}{1-\overline{A}_{45:\overline{20}|}}$

$\overline{A}_{45:\overline{20}|}^{\ 1}=\displaystyle\int_0^{20} v^t \ {}_t p_{45} \mu_{45+t} dt=\int_0^{20} v^t\left(\dfrac{55-t}{55}\right)\left(\dfrac{1}{55-t}\right)dt$

$=\dfrac{1}{55}\displaystyle\int_0^{20} e^{-0.06t}dt=\dfrac{1}{55}\dfrac{-1}{0.06}\left[e^{-0.06t}\right]_0^{20}=0.211759$

${}_{20}E_{45}=v^{20} \ {}_{20}p_{45}=e^{-0.06 \times 20}\dfrac{55-20}{55}=0.191669$

$$\therefore \overline{P}\left(\overline{A}\,^{1}_{45\,:\,\overline{20|}}\right) = \frac{\delta \overline{A}\,^{1}_{45\,:\,\overline{20|}}}{1 - \overline{A}_{45\,:\,\overline{20|}}} = \frac{0.06 \cdot 0.211759}{1 - (0.211759 + 0.191669)} = 0.02129758$$

(3) $_{7}\overline{P}\left(\overline{A}_{45}\right) = \dfrac{\overline{A}_{45}}{\overline{a}_{45\,:\,\overline{7|}}}$

$$\overline{a}_{45\,:\,7} = \int_{0}^{7} v^{t}\,_{t}p_{45}\,dt = \int_{0}^{7} e^{-0.06t}\left(\frac{55-t}{55}\right)dt = 5.377535$$

$$\overline{A}_{\overline{45|}} = \int_{0}^{55} v^{t}\,_{t}p_{45}\mu_{45+t}\,dt = \int_{0}^{55} e^{-0.06t}\left(\frac{55-t}{55}\right)\left(\frac{1}{55-t}\right)dt$$

$$= \frac{1}{55} \times \frac{-1}{0.06}\left[e^{-0.06t}\right]_{0}^{55} = 0.291854$$

$$\therefore {_{7}\overline{p}}\left(\overline{A}_{45}\right) = \frac{\overline{A}_{45}}{\overline{a}_{45\,:\,\overline{7|}}} = \frac{0.291854}{5.377535} = 0.0542742$$

문제 2번

📋 46,619.58

 풀이

$$E[Y] = \frac{1 - A_{x}}{d} = \frac{(1 - 0.369131) \times 1.06}{0.06} = 11.14535$$

$$Var[Y] = \frac{{}^{2}A_{x} - \left(A_{x}\right)^{2}}{d^{2}} = \frac{(0.1774113 - 0.369131^{2}) \times 1.06^{2}}{0.06^{2}} = 12.84450$$

$$E[S] = 250 \times 500 \times 11.14535 = 1,393,169$$

$$Var[S] = 500^{2} \times 250 \times 12.84450 = 802,781,250$$

정규근사를 이용하면

$$F = E[S] + 1.645 \times \sqrt{Var[S]} = 11.14535 + 1.645 \times \sqrt{802,781,250} = 46,619.58$$

문제 3번

📋 0.08

풀이

$$\overline{A}_{30} = \frac{\mu}{\mu + \delta} = \frac{0.08}{0.08 + 0.05} = \frac{8}{13}$$

$$\overline{P}\left(\overline{A}_{30}\right) = \frac{\overline{A}_{30}}{\overline{a}_{30}} = \frac{\delta \overline{A}_{30}}{1 - \overline{A}_{30}} = \frac{0.05 \cdot \dfrac{8}{13}}{1 - \dfrac{8}{13}} = 0.08$$

문제 4번

답 73.111

풀이

$$\Pr[S \geq F] \leq 0.05 = \Pr\left[Z \geq \frac{F - E[S]}{\sqrt{Var[S]}}\right] \leq 0.05$$

$$\frac{F - E[S]}{\sqrt{Var[S]}} = 1.645$$

$$E[S] = 100 \times E\left[\left(v^T - \pi \bar{a}_{\overline{T}|}\right)\right] = 100 \times \left(\overline{A}_{30} - \pi \bar{a}_{30}\right) = 0 \ (수지상등의 \ 원칙)$$

$$Var[S] = 100 \times Var\left[v^T - \pi\left(\frac{1 - v^T}{\delta}\right)\right] = 100\left(1 + \frac{\pi}{\delta}\right)^2 \left(^2\overline{A}_{30} - \left(\overline{A}_{30}\right)^2\right)$$

$$\pi = \frac{\overline{A}_{30}}{\bar{a}_{30}} = \mu = 0.08, \overline{A}_{30} = \frac{\mu}{\mu + \delta} = \frac{8}{13}, \ ^2\overline{A}_{30} = \frac{\mu}{\mu + 2\delta} = \frac{8}{18}$$

$$Var[S] = 100\left(1 + \frac{\pi}{\delta}\right)^2 \left(^2\overline{A}_{30} - \left(\overline{A}_{30}\right)^2\right) = 100\left(1 + \frac{0.08}{0.05}\right)^2 \left(\frac{8}{18} - \left(\frac{8}{13}\right)^2\right) = 44.4444$$

$$\therefore \ F = E[S] + 1.645 \times Var[S] = 0 + 1.645 \times 44.4444 = 73.1111$$

문제 5번

답 해설 참조

풀이

$$\pi = \frac{\overline{A}_x}{\bar{a}_x} = \frac{\delta \overline{A}_x}{1 - \overline{A}_x}$$

$$Var[L] = \left(^2\overline{A}_x - \left(\overline{A}_x\right)^2\right)\left(1 + \frac{\pi}{\delta}\right)^2 = \left(^2\overline{A}_x - \left(\overline{A}_x\right)^2\right)\left(1 + \frac{\frac{\delta \overline{A}_x}{1 - \overline{A}_x}}{\delta}\right)^2$$

$$= \left(^2\overline{A}_x - \left(\overline{A}_x\right)^2\right)\left(1 + \frac{\overline{A}_x}{1 - \overline{A}_x}\right)^2 = \frac{\left(^2\overline{A}_x - \left(\overline{A}_x\right)^2\right)}{\left(1 - \overline{A}_x\right)^2}$$

$$= \frac{\frac{\mu}{\mu + 2\delta} - \left(\frac{\mu}{\mu + \delta}\right)^2}{\left(\frac{\delta}{\mu + \delta}\right)^2} = \frac{\frac{\mu(\mu + \delta)^2 - \mu^2(\mu + 2\delta)}{(\mu + 2\delta)(\mu + \delta)^2}}{\frac{\delta^2}{(\mu + \delta)^2}} = \frac{\mu(\mu + \delta)^2 - \mu^2(\mu + 2\delta)}{\delta^2(\mu + 2\delta)}$$

$$= \frac{\mu \delta^2}{\delta^2(\mu + 2\delta)} = \frac{\mu}{\mu + 2\delta} = {^2\overline{A}_x}$$

문제 6번

 답 (a) 593.869

(b) 63.266

풀이 ··

(a) $1,000\overline{A}_x$

$$\overline{A}_x = \overline{A}^1_{x:\overline{10}|} + {}_{10}E_x\overline{A}_{x+10}$$

$$\overline{A}^1_{x:\overline{10}|} = \int_0^{10} v^t\,{}_tp_x\mu_{x+t}dt = \int_0^{10} e^{-0.04t}e^{-0.06t}0.06dt$$

$$= 0.06 \times \frac{1-e^{-1}}{0.1} = 0.379272335$$

$${}_{10}E_x = v^{10}\,{}_{10}p_x = e^{-0.4}e^{-0.6} = e^{-1} = 0.367879441$$

$$\overline{A}_{x+10} = \int_0^\infty v^t\,{}_tp_{x+10}\mu_{x+10+t}dt = \int_0^\infty e^{-0.05t}e^{-0.07t}0.07dt = 0.07 \times \frac{1}{0.12} = \frac{7}{12}$$

$$\overline{A}_x = \overline{A}^1_{x:\overline{10}|} + {}_{10}E_x\overline{A}_{x+10} = 0.379272335 + 0.367879441 \times \frac{7}{12} = 0.593868676$$

$$\therefore NSP = 1,000\overline{A}_x = 593.8686756$$

(b) $1,000\overline{P}(\overline{A}_x) = 1,000 \cdot \dfrac{\overline{A}_x}{\overline{a}_x}$

$$\overline{A}_x = 0.593868676$$

$$\overline{a}_x = \overline{a}_{x:\overline{10}|} + {}_{10}E_x\overline{a}_{x+10}$$

$$\overline{a}_{x:\overline{10}|} = \int_0^{10} v^t\,{}_tp_x dt = \int_0^{10} e^{-0.04t}e^{-0.06t}dt = \frac{1-e^{-1}}{0.1} = 6.321205588$$

$${}_{10}E_x = v^{10}\,{}_{10}p_x = e^{-0.4}e^{-0.6} = e^{-1} = 0.367879441$$

$$\overline{a}_{x+10} = \int_0^\infty v^t\,{}_tp_{x+10}dt = \int_0^\infty e^{-0.05t}e^{-0.07t}dt = \frac{1}{0.12} = \frac{25}{3}$$

$$\overline{a}_x = \overline{a}_{x:\overline{10}|} + {}_{10}E_x\overline{a}_{x+10} = 6.321205588 + 0.367879441 \times \frac{25}{3} = 9.386867596$$

$$\therefore 1,000\overline{P}(\overline{A}_x) = 1,000\frac{\overline{A}_x}{\overline{a}_x} = \frac{593.8686756}{9.386867596} = 63.26590521$$

문제 7번

답 3,379.572

$$S = \sum_{i=1}^{1000} {}_0Li$$

$$\Pr[S > 0] = 0.01 \;\rightarrow\; \Pr\left[z > \frac{-E[S]}{\sqrt{Var(S)}}\right] = 0.01 \;\rightarrow\; \frac{-E[S]}{\sqrt{Var(s)}} = 2.326$$

$$L_0 = 100{,}000v^{K_{60}+1} - \pi\ddot{a}_{\overline{K_{60}+1|}} = 100{,}000v^{K_{60}+1} - \pi\left(\frac{1 - v^{K_{60}+1}}{d}\right)$$

$$= \left(100{,}000 + \frac{\pi}{d}\right)v^{K_{60}+1} - \frac{\pi}{d}$$

$$E[L_0] = \left(100{,}000 + \frac{\pi}{d}\right)A_{60} - \frac{\pi}{d}$$

$$= \left(100{,}000 + \frac{\pi}{0.056603774}\right)0.36913 - \frac{\pi}{0.056603774}$$

$$= 36{,}913 - 11.14536992\pi$$

$$Var[L_0] = \left(100{,}000 + \frac{\pi}{d}\right)^2\left[{}^2A_{60} - (A_{60})^2\right]$$

$$= \left(100{,}000 + \frac{\pi}{0.056603774}\right)^2(0.17741 - 0.36913^2)$$

$$= (100{,}000 + 17.66666654\pi)^2(0.041153043)$$

$$E[S] = 10{,}000E[L_0], \quad Var[S] = 10{,}000\,Var[L_0]$$

$$\frac{10{,}000 \times (36{,}913 - 11.14536992\pi)}{\sqrt{10{,}000 \times (100{,}000 + 17.66666654\pi)^2(0.041153043)}}$$

$$= \frac{100 \times (36{,}913 - 11.14536992\pi)}{(100{,}000 + 17.66666654\pi)(0.202862128)} = -2.326$$

$$100 \times (36{,}913 - 11.14536992\pi) = -0.47185731 \times (100{,}000 + 17.66666654\pi)$$

$$3{,}691{,}300 - 1{,}114.536992\pi = -47{,}185.731 - 8.33614575\pi$$

$$3{,}738{,}485.731 = 1{,}106.200846\pi$$

$$\therefore \; \pi = 3{,}379.572294$$

문제 8번

답 3.75

$$^2\overline{A}_x = \frac{\mu}{\mu + 2\delta} = \frac{0.02}{0.02 + 0.08} = 0.2, \quad \overline{A}_x = \frac{\mu}{\mu + \delta} = \frac{0.02}{0.02 + 0.04} = \frac{1}{3}$$

$$NSP = b\overline{A}_x = b\frac{\mu}{\mu + \delta} = \frac{b}{3}$$

$$Z = bv^{T_z}$$

$$Var(Z) = Var(bv^{T_z}) = b^2 Var(v^{T_z}) = b^2 \left[{}^2\overline{A}_x - \left(\overline{A}_x\right)^2 \right]$$

$$b^2 \left[0.2 - \left(\frac{1}{3}\right)^2 \right] = \frac{b}{3} = b^2 \frac{4}{45}$$

$$\frac{4}{45} b^2 - \frac{b}{3} = b\left(\frac{4}{45} b - \frac{1}{3} \right)$$

$$\therefore b = \frac{45}{4 \times 3} = 3.75$$

문제 9번

📋 **답** 3.021

📝 **풀이** --

$$q_{70} = 0.03318, \ q_{71} = 0.03626$$

$${}_{1|}q_{70} = p_{70}q_{71} = (1 - 0.03318)(0.03626) = 0.035056893$$

$${}_{2}p_{70} = (1 - 0.03318)(1 - 0.03626) = 0.931763107$$

$$P = 10 \times \left(\frac{q_{70}}{1.08} + \frac{{}_{1|}q_{70}}{1.08^2} \right) + P\frac{{}_{2}p_{70}}{1.08^2}$$

$$= 10 \times \left(\frac{0.03318}{1.08} + \frac{0.035056893}{1.08^2} \right) + P\frac{0.931763107}{1.08^2}$$

$$= 0.307222 + 0.300556353 + 0.798836683P = 0.607776353 + 0.798836683P$$

$$P = 0.607776353 + 0.798836683P$$

$$\therefore \ P = 3.02130807$$

문제 10번

📋 **답** 517.529

📝 **풀이** --

$$P \times \left(1 + vp_x + v^2 {}_2p_x \right) = 0 + 10,000 \times v^2 p_x q_{x+1} + 9,000 \times v^3 p_x p_{x+1} q_{x+2}$$

$$P \times \left(1 + \frac{0.8}{1.06} + \frac{0.8 \times 0.9}{1.06^2} \right) = 10,000 \times \frac{0.8 \times 0.1}{1.06^2} + 9,000 \times \frac{0.8 \times 0.9 \times 0.097}{1.06^3}$$

$$P \times 2.395514418 = 1,239.748249$$

$$\therefore P = 517.5290283$$

문제 11번

📋 **답** 43.229

풀이

$$1{,}000P^{(12)}\left(\overline{A}_{60:\overline{20|}}\right)=\frac{1{,}000\overline{A}_{60:\overline{20|}}}{\ddot{a}^{(12)}_{60:\overline{20|}}}$$

$$A^{\;1}_{60:\overline{20|}}=A_{60}-{}_{20}E_{60}A_{80}=0.36913-0.14906\times0.66575=0.269893305$$

$$\overline{A}_{60:\overline{20|}}=\frac{i}{\delta}A^{\;1}_{60:\overline{20|}}+{}_{20}E_{60}=\frac{0.06}{0.0583}\times0.269893305+0.14906=0.4268232642$$

$$\ddot{a}^{(12)}_{60:\overline{20|}}=\alpha(12)\ddot{a}_{60:\overline{20|}}-\beta(12)\left(1-{}_{20}E_{60}\right)$$

$$\ddot{a}_{60:\overline{20|}}=\frac{1-A_{60:\overline{20|}}}{d}=\frac{1-0.418953305}{0.0566}=10.2658$$

$$=\frac{0.06\times0.0566}{0.0584\times0.0581}\times10.2658-\frac{0.06-0.0584}{0.0584\times0.0581}\left[1-0.14906\right]$$

$$=10.2748-0.4013=9.8735$$

$$\therefore\;1{,}000P^{(12)}\left(\overline{A}_{60:\overline{20|}}\right)=\frac{426.8232642}{9.8735}=43.2292$$

문제 12번

답 0.00014

풀이

보험금: $1{,}000\overline{A}_x=\left(\dfrac{0.02}{0.02+0.05}\right)\times1{,}000=285.714286$

각각의 보험료는 다음과 같다.

(i) 도영

$$\ddot{a}_x=\sum_{t=0}^{\infty}v^t\,{}_tp_x$$

$$\ddot{a}^{(m)}_x=\frac{1}{m}\sum_{t=0}^{\infty}v^{\frac{t}{m}}\,{}_{\frac{t}{m}}p_x$$

$$\ddot{a}^{(4)}_x=\frac{1}{4}\sum_{t=0}^{\infty}v^{\frac{1}{4}}\,{}_{\frac{t}{4}}p_x=\frac{1}{4}\sum_{t}^{\infty}e^{-\frac{0.05}{4}t}\,e^{-\frac{0.02}{4}t}$$

$$=\frac{1}{4}\sum_{t=0}^{\infty}e^{-0.0175t}=\frac{1}{4}\times\frac{1}{\left(1-e^{-0.0175}\right)}=14.41107887$$

$$P^{도영}=\frac{1000\overline{A}_x}{4\ddot{a}^{(4)}_x}=4.95650\quad(\text{※분기별 보험료이므로 4로 나눠주어야 함})$$

(ii) 선주

$$\ddot{a}_x^{(m)} = \alpha(m)\ddot{a}_x - \beta(m)$$

$$\ddot{a}_x^{(4)} = \alpha(4)\ddot{a}_x - \beta(4) = 1.000195 \times 14.7915 - 0.382836 = 14.4115$$

$$P^{선주} = \frac{1000\overline{A}_x}{4\ddot{a}_x^{(4)}} = 4.95636 \text{ (※분기별 보험료이므로 4로 나눠주어야 함)}$$

$$\therefore 4.95650 - 4.95636 = 0.00014$$

문제 13번

📋 0.0918

✏️ 풀이 --

$${}_{15}E_{35} = v^{15}{}_{15}p_{35} = \frac{0.9}{(1.08)^{15}} = 0.2837$$

$$A_{50} = \left(\frac{i^{(2)}}{i}\right)A_{50}^{(2)} = \frac{1}{1.019615} \times 0.3 = \frac{0.3}{1.019615} = 0.2942$$

$$d = \frac{i}{1+i} = 0.0741$$

$$P = \frac{A_{35}}{\ddot{a}_{35:\overline{15}|}} = 0.06$$

$$A_{35} = 0.06 \times \ddot{a}_{35:\overline{15}|} = \frac{0.06}{d}\left(1 - A_{35:\overline{15}|}\right) = \frac{0.06}{d}\left(1 - A_{35:\overline{15}|}^{1} - {}_{15}E_{35}\right)$$

$$= \frac{0.06}{d}\left(1 - A_{35:\overline{15}|}^{1} - {}_{15}E_{35}\right)$$

$$A_{35} = A_{35:\overline{15}|}^{1} + {}_{15}E_{35} \times A_{50} \text{이므로}$$

$$A_{35:\overline{15}|}^{1} + {}_{15}E_{35} \times A_{50} = \frac{0.06}{d}\left(1 - A_{35:\overline{15}|}^{1} - {}_{15}E_{35}\right)$$

이 식에 앞에서 구한 값들을 대입하면

$$A_{35:\overline{15}|}^{1} + 0.2837 \times 0.2942 = \frac{0.06}{0.0741}\left(1 - A_{35:\overline{15}|}^{1} - 0.2942\right)$$

$$A_{35:\overline{15}|}^{1} = 0.2697 \rightarrow A_{35:\overline{15}|} = A_{35:\overline{15}|}^{1} + {}_{15}E_{35} = 0.5534$$

$$\ddot{a}_{35:\overline{15}|} = \frac{1 - A_{35:\overline{15}|}}{d} = \frac{1 - 0.5534}{0.0741} = 6.0264$$

$$\therefore \frac{A_{35:\overline{15}|}}{\ddot{a}_{35:\overline{15}|}} = \frac{0.5534}{6.0264} = 0.0918$$

문제 14번

답 1,133.791

풀이

지출: $P(IA)_{20:\overline{10|}} + 1,000_{10|}\ddot{a}_{20}$

$$(IA)_{20:\overline{10|}} = \sum_{k=0}^{9}(k+1)v^{k+1}{}_{k|}q_{20} = \sum_{k=0}^{9}(k+1)\left(\frac{1}{1.05}\right)^{k+1} \times \frac{1}{80} = 0.492172$$

$${}_{10|}\ddot{a}_{20} = \sum_{k=10}^{\infty}v^{k}{}_{k}p_{20} = \sum_{k=10}^{79}\left(\frac{1}{1.05}\right)^{k} \times \frac{80-k}{80} = 8.163541$$

수입: $P\ddot{a}_{20:\overline{10|}} = P \times \sum_{k=0}^{9}v^{k}{}_{k}p_{20} = P \times \sum_{k=0}^{9}\left(\frac{1}{1.05}\right)^{k}\left(\frac{80-k}{80}\right) = 7.692389P$

수지상등의 원칙에 의해 $0.492172P + 8,163.541 = 7.692389P \rightarrow P = 1,133.7910$

문제 15번

답 0.014

풀이

(i) $\dfrac{A_{25}}{\ddot{a}_{25:\overline{20|}}} = 0.046$

(ii) $\dfrac{A_{25:\overline{20|}}}{\ddot{a}_{25:\overline{20|}}} = 0.064$

$\ddot{a}_{25:\overline{20|}}$를 양변에 곱해보자.

$A_{25} = 0.046\ddot{a}_{25:\overline{20|}}, \quad A_{25:\overline{20|}} = 0.064\ddot{a}_{25:\overline{20|}}$

$A_{25} = A_{25:\overline{20|}}^{1} + A_{25:\overline{20|}}^{\;\;1} \times A_{45}$

$0.046\ddot{a}_{25:\overline{20|}} = A_{25:\overline{20|}}^{1} + \left(0.064\ddot{a}_{25:\overline{20|}} - A_{25:\overline{20|}}^{1}\right) \times 0.64$

$0.046\ddot{a}_{25:\overline{20|}} = 0.36 A_{25:\overline{20|}}^{1} + \left(0.64 \times 0.064\ddot{a}_{25:20}\right)$

$\rightarrow A_{25:\overline{20|}}^{1} = 0.014\ddot{a}_{25:\overline{20|}}$

$\therefore \dfrac{A_{25:\overline{20|}}^{1}}{\ddot{a}_{25:\overline{20|}}} = 0.014$

문제 16번

답 15,343.027

$$L = 100,000A^1_{60:\overline{20|}} - 1,600\ddot{a}_{60:\overline{10|}}$$

ILT표를 이용하여 다음을 계산한다.

$$A^1_{60:\overline{20|}} = A_{60} - {}_{20}E_{60}A_{80} = 0.36913 - 0.14906 \times 0.66575 = 0.269893305$$

$$\ddot{a}_{60:\overline{10|}} = \frac{1 - A_{60:\overline{10|}}}{d}$$

$$A_{60:\overline{10|}} = A^1_{60:\overline{10|}} + {}_{10}E_{60} = \left(A_{60} - {}_{10}E_{60}A_{70}\right) + {}_{10}E_{60}$$

$$= (0.36913 - 0.45120 \times 0.51495) + 0.45120 = 0.587985$$

$$\ddot{a}_{60:\overline{10|}} = \frac{1 - A_{60:\overline{10|}}}{d} = \frac{1 - 0.587985}{\dfrac{0.06}{1.06}} = 7.278939$$

$$\therefore \ L = 26,989.3305 - 1,600 \times 7.2794 = 15,343.0274$$

문제 17번

답 0.1

$$\overline{A}_x = \frac{\mu}{\mu + \delta} = \frac{\mu}{\mu + 0.1} = \frac{1}{3} \ \rightarrow \ 3\mu = \mu + 0.1 \ \rightarrow \ \mu = 0.05$$

$${}^2\overline{A}_x = \frac{\mu}{\mu + 2\delta} = \frac{0.05}{0.05 + 0.2} = 0.2$$

$$Var(L') = \left(1 + \frac{\pi}{\delta}\right)^2 \left[{}^2\overline{A}_x - \left(\overline{A}_x\right)^2\right] = \frac{16}{45}$$

$$= \left(1 + \frac{\pi}{0.1}\right)^2 \left[0.2 - \left(\frac{1}{3}\right)^2\right] = \frac{16}{45}$$

$$\left(1 + \frac{\pi}{0.1}\right)^2 = 4$$

$$\therefore \ \pi = 0.1$$

문제 18번

답 0.049

$$\Pr\left[v^T - \overline{P}\overline{a}_{\overline{T|}} > 0\right] \le 0.2 \ (\text{※ } T\text{가 }30\text{보다 크면 항상 이득이기 때문에 }30\text{ 이하만 }$$
고려하겠다.)

$$\Pr\left[v^T - \overline{P}\frac{1-v^T}{\delta} > 0\right] \le 0.2$$

$$\Pr\left[v^T\left(1+\frac{\overline{P}}{\delta}\right) - \frac{\overline{P}}{\delta} > 0\right] \le 0.2$$

$$\Pr\left[v^T > \frac{\overline{P}}{\delta+\overline{P}}\right] \le 0.2$$

$\Pr\left[v^T > \dfrac{\overline{P}}{\delta+\overline{P}}\right] \le 0.2$ 를 구하라고 할 때, $_t q_{50} = 0.2$를 만족하는 t를 구하여 T에

대입하면 된다. 20%까지 사망한 사람은 20th $percentile$의 보험금을 갖는다는 논리이다.

$$_t q_{50} = \frac{t}{70} = 0.2 \rightarrow t = 14$$

$$\frac{\overline{P}}{\delta+\overline{P}} = v^{14} = e^{-0.05 \times 14} \rightarrow \frac{\overline{P}}{\delta+\overline{P}} = 0.496585$$

$$\overline{P} = 0.496585(0.05+\overline{P}) \rightarrow (1-0.496585)\overline{P} = 0.024829$$

$$\therefore \overline{P} = 0.049322$$

문제 19번

답 보험료가 0일 때, $E[L^2]$ 최소

풀이

$$L = v^T - P\overline{a}_{\overline{T}|} = v^T - P\left(\frac{1-v^T}{\delta}\right) = v^T\left(1+\frac{P}{\delta}\right) - \frac{P}{\delta}$$

$$E(L^2) = Var(L) + E(L)^2$$

$$Var\left(v^T\left(1+\frac{P}{\delta}\right) - \frac{P}{\delta}\right) = \left(1+\frac{P}{\delta}\right)^2 \times Var(v^T)$$

$$Var(v^T) = {}^2\overline{A}_x - \left(\overline{A}_x\right)^2 = 0.3 - 0.3^2 = 0.21$$

$$Var(L) = 0.21\left(1+\frac{P}{\delta}\right)^2$$

$$E(L) = E\left[v^T\left(1+\frac{P}{\delta}\right) - \frac{P}{\delta}\right] = \left(1+\frac{P}{\delta}\right)E(v^T) - \frac{P}{\delta} = \left(1+\frac{P}{\delta}\right)\overline{A}_x - \frac{P}{\delta}$$

$$E(L) = \left(1+\frac{P}{\delta}\right)0.3 - \frac{P}{\delta} = 0.3 - 0.7\frac{P}{\delta}$$

$$E(L^2) = 0.21\left(1+\frac{P}{\delta}\right)^2 + \left(0.3 - 0.7\frac{P}{\delta}\right)^2$$

$$\frac{dE(L^2)}{dP} = \frac{0.42}{\delta}\left(1 + \frac{P}{\delta}\right) - \frac{2 \times 0.7}{\delta}\left(0.3 - 0.7\frac{P}{\delta}\right) = \frac{0.42P + 0.98P}{\delta^2} = \frac{1.4P}{\delta^2}$$

$$\frac{dE(L^2)}{dP} = \frac{1.4P}{\delta^2} = 0$$

$$\therefore \ P = 0$$

문제 20번

 0.46

 풀이

$$Var(L) = \left[{}^2\overline{A}{}^1_{x:\overline{n|}} - \left(A^1_{x:\overline{n|}}\right)^2\right] + \left(\frac{\overline{P}}{\delta}\right)^2\left[{}^2\overline{A}_{x:\overline{n|}} - \left(\overline{A}_{x:\overline{n|}}\right)^2\right]$$

$$\qquad + 2\left(\frac{\overline{P}}{\delta}\right)\left[{}^2\overline{A}{}^1_{x:\overline{n|}} - A^1_{x:\overline{n|}}\,\overline{A}_{x:\overline{n|}}\right]$$

$$= \left(0.25 - (0.3)^2\right) + \left(\frac{\overline{P}}{\delta}\right)^2\left(0.4 - (0.6)^2\right) + 2\left(\frac{\overline{P}}{\delta}\right) \times (0.07)$$

$$= 0.16 + 0.04\left(\frac{\overline{P}}{\delta}\right)^2 + 0.14\left(\frac{\overline{P}}{\delta}\right)$$

$$\overline{P}\left(\overline{A}_{x:\overline{n|}}\right) = \frac{\delta \overline{A}_{x:\overline{n|}}}{1 - \overline{A}_{x:\overline{n|}}} \ \rightarrow \ \frac{\overline{P}}{\delta} = \frac{\overline{A}_{x:\overline{n|}}}{1 - \overline{A}_{x:\overline{n|}}} = \frac{0.6}{1 - 0.6} = 1.5$$

$$\therefore \ Var(L) = 0.16 + 0.04(1.5)^2 + 0.14 \times 1.5 = 0.46$$

문제 21번

 17.346

 풀이

$${}_{15}p_{45} = \frac{l_{60}}{l_{45}} = \frac{8,188,074}{9,164,051}, \ {}_{15}p_{60} = \frac{l_{75}}{l_{60}} = \frac{5,396,081}{8,188,074}$$

$${}_{15}p_{45}v^{15} = 0.372826, \ {}_{15}p_{60}v^{15} = 0.274985$$

$$\ddot{a}_{45} = \frac{1 - A_{45}}{d} = 14.112133, \ \ddot{a}_{60} = \frac{1 - A_{60}}{d} = 11.145370, \ \ddot{a}_{75} = \frac{1 - A_{75}}{d} = 7.217010$$

$$\ddot{a}_{45} = \ddot{a}_{45:\overline{15|}} + {}_{15}E_{45}\ddot{a}_{60}$$

$$\ddot{a}_{45:\overline{15|}} = \ddot{a}_{45} - {}_{15}E_{45}\ddot{a}_{60} = \ddot{a}_{45} - {}_{15}p_{45}v^{15}\ddot{a}_{60} = 9.956849$$

$$\ddot{a}_{60} = \ddot{a}_{60:\overline{15|}} + {}_{45}\ddot{a}_{75}$$

$$\ddot{a}_{60:\overline{15|}} = \ddot{a}_{60} - {}_{15}E_{60}\ddot{a}_{75} = \ddot{a}_{60} - {}_{15}p_{60}v^{15}\ddot{a}_{75} = 9.160802$$

$$1,000 P_{45} = 1,000 \times \frac{A_{45}}{\ddot{a}_{45}} = 1,000 \times \frac{d A_{45}}{1 - A_{45}} = 14.257235$$

$$1,000 A_{45} = 1,000 P_{45} \times \ddot{a}_{45:\overline{15|}} + \pi \times v^{15} \times \ddot{a}_{60:\overline{15|}}$$

$$\pi = \frac{1,000 A_{45} - 1,000 P_{45} \times \ddot{a}_{45:\overline{15|}}}{{}_{15}p_{45} v^{15} \times \ddot{a}_{60:\overline{15|}}} = \frac{201.2 - 14.257235 \times 9.956849}{0.372826 \times 9.160802} = 17.345881$$

5장 준비금

문제 1번

답 8,119.431

풀이

계약이 변경되기 전의 20년 만기 이산형 양로보험의 보험료는 다음과 같다.

$$P_{45:\overline{20|}} = 1,000 \cdot \frac{A_{45:\overline{20|}}}{\ddot{a}_{45:\overline{20|}}} = 1,000 \cdot \frac{d \cdot A_{45:\overline{20|}}}{1 - A_{45:\overline{20|}}}$$

$$A_{45:\overline{20|}} = A^1_{45:\overline{20|}} + A_{45:\frac{1}{20|}} = A_{45} - {}_{20}E_{45} \cdot A_{65} + {}_{20}E_{45} = 0.344801668$$

$$P_{45:\overline{20|}} = 297.8804218$$

$$A_{60:\overline{5|}} = A^1_{60:\overline{5|}} + A_{60:\frac{1}{5|}} = A_{60} - {}_5E_{60} \cdot A_{65} + {}_5E_{60} = 0.754301112$$

계약이 변경되기 전의 제15 보험연도 말 준비금은 다음과 같다.

$${}_{15}V_{45:\overline{20|}} = 1,000 \cdot \frac{A_{60:\overline{5|}} - A_{45:\overline{20|}}}{1 - A_{45:\overline{20|}}} = 6,250.007425$$

계약이 변경되고 나면 사망보험금은 10,000원으로 유지되는 반면 생존보험금의 크기는 B로 조절된다. 또한 보험료는 더 내지 않는다.

$$A^1_{60:\overline{5|}} = A_{60} - {}_5E_{60} \cdot A_{65} = 0.066741112$$

$$A_{60:\frac{1}{5|}} = {}_5E_{60} = 0.68756$$

$${}_{15}V_{45:\overline{20|}} = 10,000 \cdot A^1_{60:\overline{5|}} + B \cdot A_{60:\frac{1}{5|}} = 667.41112 + B \cdot 0.68756$$

$$B = 8,119.431475$$

문제 2번

답 0.319

풀이

$$_{10}\overline{V}\left(\overline{A}_{45:\overline{20|}}\right)\frac{\overline{A}_{55:\overline{10|}}-\overline{A}_{45:\overline{20|}}}{1-\overline{A}_{45:\overline{20|}}}$$

$$\overline{A}_{55:\overline{10|}}=\overline{A}^{\,1}_{55:\overline{10|}}+\overline{A}_{55:\overline{10|}}^{1}$$

$$=\frac{\overline{a}_{\overline{10|}}}{45}+{}_{10}E_{55}$$

$$=\frac{1-v^{10}}{\delta\cdot 45}+v^{10}\cdot\frac{35}{45}=0.5939602962$$

$$\overline{A}_{45:\overline{20|}}=\overline{A}^{\,1}_{45:\overline{20|}}+\overline{A}_{45:\overline{20|}}^{1}$$

$$=\frac{\overline{a}_{\overline{20|}}}{55}+{}_{20}E_{45}$$

$$=\frac{1-v^{20}}{\delta\cdot 55}+v^{20}\cdot\frac{35}{55}=0.4034283737$$

$$\therefore\ {}_{10}\overline{V}\left(\overline{A}_{45:\overline{20|}}\right)=0.3193781168$$

문제 3번

답 127.358

풀이

$$_{10}V_{30:\overline{35|}}=1{,}000\cdot A_{40:\overline{25|}}-P_{30:\overline{35|}}\cdot\ddot{a}_{40:\overline{25|}}$$

$$=1{,}000\cdot\left(1-d\cdot\ddot{a}_{40:\overline{25|}}\right)-1{,}000\cdot\left(\frac{1}{\ddot{a}_{30:\overline{35|}}}-d\right)\cdot\ddot{a}_{40:\overline{25|}}$$

$$=1{,}000\cdot\left(1-\frac{\ddot{a}_{40:\overline{25|}}}{\ddot{a}_{30:\overline{35|}}}\right)=127.3584906$$

문제 4번

답 255.059

풀이

20시점 이전의 현금흐름은 45세 피보험자의 종신보험 현금흐름과 같으므로 현 보험상품의 20시점 책임준비금은 종신보험의 20시점 책임준비금과 같다고 볼 수 있다.

$$1{,}000\cdot P_{45}=\frac{1{,}000\cdot A_{45}}{\ddot{a}_{45}}=\frac{1{,}000}{\ddot{a}_{45}}-1{,}000\cdot d=10.88809365$$

$$_{20}V = 1,000 \cdot \left(1 - \frac{\ddot{a}_{65}}{\ddot{a}_{45}}\right) = 1,000 \cdot \left(1 - \frac{11.1454}{14.8166}\right) = 247.776143$$

제20보험연도 말 준비금과 제21 보험연도 말 준비금 사이의 관계는 다음과 같다.

$$_{21}V \cdot p_{65} = (_{20}V + 5,000 \cdot P_{45}) \cdot 1.06 - 5,000 \cdot q_{65}$$

$$_{21}V \cdot (1 - 0.01376) = (247.776143 + 54.44046823) \cdot 1.06 - 68.8$$

$$_{21}V = 255.0592228$$

문제 5번

 답 287.230

풀이 --

미래법으로 풀면 다음과 같다.

$$_3V^1_{25:\overline{5}|} = 500,000 \cdot \overline{A}^1_{28:\overline{2}|} - P \cdot \ddot{a}_{28:\overline{2}|}$$

$$\overline{A}^1_{28:\overline{2}|} = \frac{\overline{a}_2}{72} = \frac{1-v^2}{72 \cdot \ln(1+i)} = 0.02622028233$$

$$\ddot{a}_{28:\overline{2}|} = 1 + v \cdot p_{28} = 1 + \frac{1}{1.06} \cdot \frac{71}{72} = 1.930293501$$

$$_3V^1_{25:\overline{5}|} = 287.2014379$$

과거법으로 풀면 다음과 같다.

$$_3V^1_{25:\overline{5}|} = \left(6,643 \cdot \ddot{a}_{25:\overline{3}|} - 500,000 \cdot \overline{A}^1_{25:\overline{3}|}\right) \cdot \frac{1}{_3E_{25}}$$

$$\overline{A}^1_{25:\overline{3}|} = \frac{\overline{a}_{\overline{3}|}}{75} = \frac{1-v^3}{75 \cdot \ln(1+i)} = 0.03669898113$$

$$\frac{1}{_3E_{25}} = (1+i)^3 \cdot \frac{1}{_3p_{25}} = 1.240641667$$

$$\ddot{a}_{25:\overline{3}|} = 1 + v \cdot p_{25} + v^2 \cdot {}_2p_{25} = 2.797080812$$

$$_3V^1_{25:\overline{5}|} = 287.2299707$$

문제 6번

 답 0.075

풀이 --

수지상등의 원칙이 지켜지는 경우, t=0일때의 책임준비금이 0임을 이용하여 보험료를 구하자.

$$_0\overline{V}(\overline{A}_{40}) = \overline{A}_{40} - \overline{P}(\overline{A}_{40}) \cdot \overline{a}_{40} = 0$$

$$\overline{A}_{40} = \frac{\overline{a}_{\overline{60|}}}{60} = 0.323333$$

$$\overline{P}(\overline{A}_{40}) = \frac{\overline{A}_{40}}{\overline{a}_{40}} = \frac{\delta \cdot \overline{A}_{40}}{1 - \overline{A}_{40}} = 0.02784277876$$

$$_{10}\overline{V}(\overline{A}_{40}) = \overline{A}_{50} - \overline{P}(\overline{A}_{40}) \cdot \overline{a}_{50}$$

$$= \overline{A}_{50} - \overline{P}(\overline{A}_{40}) \cdot \frac{1 - \overline{A}_{50}}{\delta}$$

$$\overline{A}_{50} = \frac{\overline{a}_{50}}{50} = 0.3742$$

$$_{10}\overline{V}(\overline{A}_{40}) = 0.07517241379$$

문제 7번

답 171.994

풀이 --

$$1,000 \cdot {}_{10}V_{50} = 1,000 \cdot \left(A_{60} - P_{50} \cdot \ddot{a}_{60} \right) = 1,000 \cdot \left(A_{60} - P_{50} \cdot \left(\frac{1 - A_{60}}{d} \right) \right)$$

$$A_{60} = v \cdot q_{60} + v \cdot p_{60} \cdot A_{61}$$

$$= \frac{1}{1.06} \cdot \frac{20}{1,000} + \frac{1}{1.06} \cdot \frac{980}{1,000} \cdot \frac{440}{1,000} = 0.4256603774$$

$$P_{50} = 0.025$$

$$d = \frac{i}{1+i} = 0.05660377358$$

위에서 구한 값들을 $1,000 \cdot {}_{10}V_{50}$에 대입하면 다음과 같다.

$$\therefore 1,000 \cdot {}_{10}V_{50} = 171.9937107$$

문제 8번

답 9,411.052

풀이 --

제 2보험연도의 연시준비금 $= {}_1V^1_{x:\overline{3|}} + P$

$$_1V^1_{x:\overline{3|}} = A^1_{x+1:\overline{2|}} - P \cdot \ddot{a}_{x+1:\overline{2|}}$$

$$P \cdot \ddot{a}_{x:\overline{3|}}$$

$$= 200,000 \cdot 0.03 \cdot \frac{1}{1.06} + 150,000 \cdot 0.0582 \cdot \frac{1}{1.06^2} + 100,000 \cdot 0.082062 \cdot \frac{1}{1.06^3}$$

$$= 20,320.13004$$

$$\ddot{a}_{x:\overline{3}|} = 1 + v \cdot p_x + v^2 \cdot {}_2p_x = 2.726593094$$

$$P = 7,452.571521$$

$$A^1_{x+1:\overline{2}|} = 150,000 \cdot v \cdot 0.06 + 100,000 \cdot v^2 \cdot 0.94 \cdot 0.09 = 16,019.93592$$

$$\ddot{a}_{x+1:\overline{2}|} = 1 + v \cdot p_{x+1} = 1.886792453$$

$${}_1V^1_{x:\overline{3}|} = 1,958.480219$$

제2보험연도의 연시준비금$= {}_1V^1_{x:\overline{3}|} + P = 9,411.05174$

문제 9번

🔳 답 해설 참조

😀풀이---

$${}_hV^1_{x:\overline{n}|} = P^1_{x:\overline{n}|} \cdot \frac{\ddot{a}_{x:\overline{h}|}}{{}_hE_x} - \frac{A^1_{x:\overline{h}|}}{{}_hE_x}$$

$$P^1_{x:\overline{n}|} \cdot \ddot{a}_{x:\overline{n}|} = A^1_{x:\overline{n}|} = A_{x:\overline{n}|} - A_{x:\frac{1}{\overline{n}|}} = \left(1 - d \cdot \ddot{a}_{x:\overline{n}|}\right) - {}_nE_x$$

$$A^1_{x:\overline{h}|} = A_{x:\overline{h}|} - A_{x:\frac{1}{\overline{h}|}} = \left(1 - d \cdot \ddot{a}_{x:\overline{h}|}\right) - {}_hE_x$$

$${}_hV^1_{x:\overline{n}|} = \frac{\left(1 - d \cdot \ddot{a}_{x:\overline{n}|}\right) - {}_nE_x}{\ddot{a}_{x:\overline{n}|}} \cdot \frac{\ddot{a}_{x:\overline{h}|}}{{}_hE_x} - \frac{\left(1 - d \cdot \ddot{a}_{x:\overline{h}|}\right) - {}_hE_x}{{}_hE_x}$$

$$= \frac{\left(\left(1 - d \cdot \ddot{a}_{x:\overline{n}|}\right) - {}_nE_x\right) \cdot \ddot{a}_{x:\overline{h}|} - \left(\left(1 - d \cdot \ddot{a}_{x:\overline{h}|}\right) - {}_hE_x\right) \cdot \ddot{a}_{x:\overline{n}|}}{\ddot{a}_{x:\overline{n}|} \cdot {}_hE_x}$$

$$= \frac{\left(1 - {}_nE_x\right) \cdot \ddot{a}_{x:\overline{h}|} - \left(1 - {}_hE_x\right) \cdot \ddot{a}_{x:\overline{n}|}}{\ddot{a}_{x:\overline{n}|} \cdot {}_hE_x}$$

$$\therefore {}_hV^1_{x:\overline{n}|} = \frac{\left(1 - {}_nE_x\right) \cdot \ddot{a}_{x:\overline{h}|} - \left(1 - {}_hE_x\right) \cdot \ddot{a}_{x:\overline{n}|}}{\ddot{a}_{x:\overline{n}|} \cdot {}_hE_x}$$

문제 10번

🔳 답 해설 참조

😀풀이---

$${}_hV_{x:\overline{m+n}|} = P_{x:\overline{m+n}|} \cdot \ddot{s}_{x:\overline{h}|} - {}_hk_x$$

$${}_hV_{x:\frac{1}{\overline{m}|}} = P^1_{x:\overline{m}|} \cdot \ddot{s}_{x:\overline{h}|} - {}_hk_x$$

$${}_hV_{x:\frac{1}{\overline{m}|}} = P_{x:\frac{1}{\overline{m}|}} \cdot \ddot{s}_{x:\overline{h}|}$$

$$_h V^1_{x:\overline{m+n}|} - {}_h V^1_{x:\overline{m}|} = \left(P_{x:\overline{m+n}|} - P^1_{x:\overline{m}|} \right) \cdot \ddot{s}_{x:\overline{h}|}$$

$$= \left(\frac{P_{x:\overline{m+n}|} - P^1_{x:\overline{m}|}}{P_{x:\overline{m}|}^{\ 1}} \right) \cdot P_{x:\overline{m}|}^{\ 1} \cdot \ddot{s}_{x:\overline{h}|}$$

$$\frac{P_{x:\overline{m+n}|} - P^1_{x:\overline{m}|}}{P_{x:\overline{m}|}^{\ 1}} = {}_m V_{x:\overline{m+n}|}$$ 임을 보이자.

준비금의 관계식을 이용하면 다음과 같은 식을 구할 수 있다.

$$\left(P_{x:\overline{m+n}|} - P^1_{x:\overline{m}|} \right) \cdot \ddot{a}_{x:\overline{k}|} = \left({}_k V_{x:\overline{m+n}|} - {}_k V^1_{x:\overline{m}|} \right) \cdot {}_k E_x$$

위의 식의 k에 m을 대입하면 다음과 같다.

$$\left(P_{x:\overline{m+n}|} - P^1_{x:\overline{m}|} \right) \cdot \ddot{a}_{x:\overline{m}|} = \left({}_m V_{x:\overline{m+n}|} - {}_m V^1_{x:\overline{m}|} \right) \cdot {}_m E_x$$

$$\left(P_{x:\overline{m+n}|} - P^1_{x:\overline{m}|} \right) \cdot \ddot{a}_{x:\overline{m}|} = \left({}_m V_{x:\overline{m+n}|} - 0 \right) \cdot {}_m E_x$$

$$_m V_{x:\overline{m+n}|} = \left(P_{x:\overline{m+n}|} - P^1_{x:\overline{m}|} \right) \cdot \frac{\ddot{a}_{x:\overline{m}|}}{{}_m E_x} = \frac{P_{x:\overline{m+n}|} - P^1_{x:\overline{m}|}}{P_{x:\overline{m}|}^{\ 1}}$$

$$\therefore \ {}_h V_{x:\overline{m+n}|} - {}_h V^1_{x:\overline{m}|} = {}_h V_{x:\overline{m}|}^{\ 1} \cdot {}_m V_{x:\overline{m+n}|}$$

문제 11번

답 (1) $\dfrac{0.8 - \overline{A}^1_{x:\overline{10}|}}{\ddot{a}_x - (I\overline{A})^1_{x:\overline{10}|}}$

(2) $_t V = \begin{cases} B\ddot{a}_{x+t} + \overline{A}^1_{x+t:\overline{10-t}|} - B(I\overline{A})^1_{x+t:\overline{10-t}|} & , \ t \leq 10 \\ B\ddot{a}_{x+t} & , \ t > 10 \end{cases}$

풀이

(1) 지출의 현가: $B\ddot{a}_x + \overline{A}^1_{x:\overline{10}|} - B(I\overline{A})^1_{x:\overline{10}|}$, 수입의 현가: 0.8

수지상등의 원칙에 의해 $B\ddot{a}_x + \overline{A}^1_{x:\overline{10}|} - B(I\overline{A})^1_{x:\overline{10}|} = 0.8$

$$B = \frac{0.8 - \overline{A}^1_{x:\overline{10}|}}{\ddot{a}_x - (I\overline{A})^1_{x:\overline{10}|}}$$

$$\therefore \ B = \frac{0.8 - \overline{A}^1_{x:\overline{10}|}}{\ddot{a}_x - (I\overline{A})^1_{x:\overline{10}|}}$$

(2) 사망보험금은 10년 동안만 지급되므로 $t \leq 10$, $t > 10$으로 나눠서 책임준비금을 구한다.

$$_tV = \begin{cases} B\ddot{a}_{x+t} + \overline{A}\frac{1}{x+t:\overline{10-t|}} - B(I\overline{A})^1_{x+t:\overline{10-t|}} &, \ t \le 10 \\ B\ddot{a}_{x+t} &, \ t > 10 \end{cases}$$

문제 12번

답 1,180

 ···

문제의 $_{10}V = 5,000A_{x+10} - P_x\ddot{a}_{x+10}$

먼저 생존기간동안 납입하는 보험료 P_x를 구해야 한다.

지출의 현가: $5,000(A_x - vq_x)$

수입의 현가: $P_x\ddot{a}_x$

수지상등의 원칙에 의해 $5,000(A_x - vq_x) = P_x\ddot{a}_x$

$$P_x = \frac{5,000(A_x - vq_x)}{\ddot{a}_x} = 455$$

책임준비금 계산에 적용될 A_{x+10}, $\ddot{a}_{x+10}$을 구해보자.

보험금 1원인 이산형 종신보험의 제10 년도 말의 준비금: $1 - \dfrac{\ddot{a}_{x+10}}{\ddot{a}_x} = 0.2$

$\ddot{a}_{x+10} = 4$

$A_{x+10} = 0.6$

$\therefore \ _{10}V = 1,180$

문제 13번

답 83.287

 ···

생존기간 동안 납입하는 평준보험료 $\overline{P}_{65}$를 구해야한다.

지출의 현가: $\displaystyle\int_0^\infty 1,000e^{0.04t}e^{-0.04t}e^{-0.02t}\ 0.02\ dt = 1,000$

수입의 현가: $\overline{P}_{65}\overline{a}_{65}$

$$\overline{a}_{65} = \int_0^\infty e^{-0.04t}e^{-0.02t}\ dt = \frac{50}{3}$$

수지상등의 원칙에 의해

$1,000 = \overline{P}_{65}\overline{a}_{65} \rightarrow \overline{P}_{65} = 60$

제2년도 말 책임준비금을 구하기 위해서

67세 시점에서 종신보험의 APV: $\displaystyle\int_0^\infty 1{,}000 e^{0.04(t+2)} e^{-0.04t} e^{-0.02t}\ 0.02\ dt$

$$\bar{a}_{67} = \int_0^\infty e^{-0.04t} e^{-0.02t}\ dt = \bar{a}_{65} = \frac{50}{3}$$

$$_2\overline{V} = \int_0^\infty 1{,}000 e^{0.04(t+2)} e^{-0.04t} e^{-0.02t}\ 0.02\ dt - 60\bar{a}_{67}$$

$$\therefore\ _2\overline{V} = 83.2870677$$

문제 14번

📋 답 0.144

✏️ 풀이 --

$$_{10}\overline{V} = \overline{A}_{40} - \overline{P}_{30}\,\bar{a}_{40}$$

$$\overline{P}_{30} = \frac{\overline{A}_{30}}{\bar{a}_{30}} = \frac{\delta \overline{A}_{30}}{1 - \overline{A}_{30}}$$

사력이 10년을 기준으로 달라지는 것을 반영해서 (30)의 종신보험의 APV를 구한다.

$$\overline{A}_{30} = \int_0^\infty e^{-0.08t} e^{-0.05t} 0.05\, dt + e^{-(0.05+0.08)10} \int_0^\infty e^{-0.08t} e^{-0.08t} 0.08\, dt = 0.4160614$$

$$\overline{P}_{30} = \frac{\delta \overline{A}_{30}}{1 - \overline{A}_{30}} = 0.057$$

10년 이후 사력과 이력은 상수이므로 CFM에 의해

$$\overline{A}_{40} = \frac{\mu_{40+t}}{\mu_{40+t} + \delta} = 0.5,\ \ \bar{a}_{40} = \frac{1}{\mu_{40+t} + \delta} = 6.25$$

$$\therefore\ _{10}\overline{V} = 0.14375$$

문제 15번

📋 답 0.177

✏️ 풀이 --

(과거법) 제10 년도 말 책임준비금: $_{10}V = P_{25}\ddot{s}_{25:\overline{10|}} - {}_{10}k_{25}$

$$_{10}V = P_{25}\frac{\ddot{a}_{25:\overline{10|}}}{_{10}E_{25}} - \frac{A^{1}_{25:\overline{10|}}}{_{10}E_{25}}$$

$$= P_{25}\frac{\ddot{a}_{25:\overline{10|}}}{_{10}E_{25}} - \frac{A^{1}_{25:\overline{10|}}}{\ddot{a}_{25:\overline{10|}}}\frac{\ddot{a}_{25:\overline{10|}}}{_{10}E_{25}}$$

$$= P_{25} \frac{1}{P_{25:\overline{10|}}^{1}} - P_{25:\overline{10|}}^{1} \frac{1}{P_{25:\overline{10|}}^{1}} = \frac{P_{25} - P_{25:\overline{10|}}^{1}}{P_{25:\overline{10|}}^{1}}$$

$$= 0.1768161 \quad \left(P_{25:\overline{10|}}^{1} = P_{25:\overline{10|}} - P_{25:\overline{10|}}^{1} \right)$$

$$\therefore {}_{10}V = 0.1768161$$

문제 16번

📋 **답** 951.955

✏️ **풀이** ---

$${}_{2}V = 1,000 A_{x+2:\overline{1|}} - P_{x:\overline{3|}} \ddot{a}_{x+2:\overline{1|}}$$

평준보험료 $P_{x:\overline{2|}}$를 구해야한다.

지출의 현가: $1,000 \left(v q_{x} + v^{2}{}_{1|}q_{x} + v^{3}{}_{2|}q_{x} + v^{3}{}_{3}p_{x} \right) = 899.4709$

수입의 현가: $P_{x:\overline{3|}} \left(1 + v p_{x} + v^{2}{}_{2}p_{x} \right)$

수지상등의 원칙에 의해서 $P_{x:\overline{3|}} \left(1 + v p_{x} + v^{2}{}_{2}p_{x} \right) = 899.4709$

$$P_{x:\overline{3|}} = 426.02652$$

$${}_{2}V = 1,000 v - P_{x:\overline{3|}}$$

$$\therefore {}_{2}V = 951.9548872$$

문제 17번

📋 **답** 139.025

✏️ **풀이** ---

$${}_{5}\overline{V} = 1,000 \times \overline{A}_{40:\overline{20|}} - \overline{P}_{x:\overline{15|}} \times \overline{a}_{40:\overline{10|}}$$

$\overline{P}_{x:\overline{15|}}$를 구하기 위해 지출과 수입의 현가를 보면

지출의 현가: $1,000 \times \overline{A}_{35:\overline{25|}} = 1,000 \left(\overline{A}_{35:\overline{25|}}^{1} + \overline{A}_{35:\overline{25|}}^{1} \right)$

수입의 현가: $\overline{P}_{x:\overline{15|}} \times \overline{a}_{35:\overline{15|}}$

수지상등의 원칙에 의해 $1,000 \left(\overline{A}_{35:\overline{25|}}^{1} + \overline{A}_{35:\overline{25|}}^{1} \right) = \overline{P}_{x:\overline{15|}} \times \overline{a}_{35:\overline{15|}}$

$$\overline{A}_{35:\overline{25|}}^{1} = e^{-(0.05+0.03)25} = 0.1353353$$

$$\overline{P}_{x:\overline{15|}} = 52.6136259$$

CFM에 의해

$$\overline{A}_{40:\overline{20}|} = \frac{\mu}{\mu+\delta}\left(1-e^{-(\mu+\delta)20}\right) + e^{-(\mu+\delta)20} = \frac{0.03+0.05e^{-1.6}}{0.08} = 0.5011853$$

$$\overline{A}_{40:\overline{10}|} = 0.6558306, \ \overline{a}_{40:\overline{10}|} = 6.8833879$$

$$\therefore \ {}_5\overline{V} = 139.0253281$$

문제 18번

📘 **답** 96.101

✏️ **풀이** --

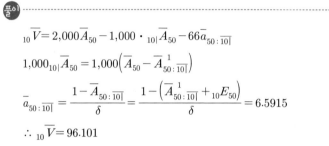

$${}_{10}\overline{V} = 2,000\overline{A}_{50} - 1,000 \cdot {}_{10|}\overline{A}_{50} - 66\overline{a}_{50:\overline{10}|}$$

$$1,000{}_{10|}\overline{A}_{50} = 1,000\left(\overline{A}_{50} - \overline{A}{}_{50:\overline{10}|}^{\ 1}\right)$$

$$\overline{a}_{50:\overline{10}|} = \frac{1-\overline{A}_{50:\overline{10}|}}{\delta} = \frac{1-\left(\overline{A}{}_{50:\overline{10}|}^{\ 1}+{}_{10}E_{50}\right)}{\delta} = 6.5915$$

$$\therefore \ {}_{10}\overline{V} = 96.101$$

문제 19번

📘 **답** 499.103

✏️ **풀이** --

$${}_{10}V = 2,000A_{50:\overline{10}|} - 100\ddot{a}_{50:\overline{10}|}$$

$$\ddot{a}_{50:\overline{10}|} = 1+vp_{50}\ddot{a}_{51:\overline{9}|} = 7.687524$$

$$A_{50:\overline{10}|} = 1-d\ddot{a}_{50:\overline{10}|} = 0.6339274$$

$$\therefore \ {}_{10}V = 499.102494$$

문제 20번

📘 **답** 0.9

✏️ **풀이** --

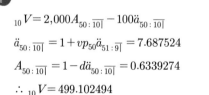

$$\begin{aligned} {}_{n-1}V &= A_{x+n-1:\overline{n-(n-1)}|} - P_{x:\overline{n}|}\ddot{a}_{x+n-1:\overline{n-(n-1)}|} \\ &= A_{x+n-1:\overline{1}|} - P_{x:\overline{n}|}\ddot{a}_{x+n-1:\overline{1}|} \\ &= v - P_{x:\overline{n}|} \end{aligned}$$

$$P_{x:\overline{n}|} = \frac{A_{x:\overline{n}|}}{\ddot{a}_{x:\overline{n}|}} = \frac{dA_{x:\overline{n}|}}{1-A_{x:\overline{n}|}} = 0.02$$

$$\therefore \ _{n-1}V = 0.9$$

문제 21번

 31.393

$A_{40} = 0.16132, \ A_{42} = 0.17636, \ A_{45} = 0.2012, \ q_{45} = 0.004, \ \ddot{a}_{46} = 13.9545$

$P_{40} = \dfrac{A_{40}}{\ddot{a}_{40}} = \dfrac{dA_{40}}{1 - A_{40}} = 0.010888, \ \ P_{42} = \dfrac{A_{42}}{\ddot{a}_{42}} = \dfrac{dA_{42}}{1 - A_{42}} = 0.012120$

$$E[_3L \,|\, K_{42} \geq 3] = \,_3V = 1{,}000 A_{45} - 1{,}000 \times \left(P_{40} + vp_{45} \times P_{42} a_{46} \right)$$

$$= 201.2 - 1{,}000 \times \left(0.010888 + \frac{0.996}{1.06} \times 0.012120 \times 13.9545 \right)$$

$$= 201.2 - 169.80672$$

$$= 31.39328$$

문제 22번

 629.879

$_1L|K_x = 1$을 구하는 문제이다. 수지상등의 원칙에 의해 $P_{x:\overline{3}|} = \dfrac{A_{x:\overline{3}|}}{\ddot{a}_{x:\overline{3}|}}$

$A_{x:\overline{3}|} = 1 - d\ddot{a}_{x:\overline{3}|} = 0.75438, \ \ P_{x:\overline{3}|} = \dfrac{A_{x:\overline{3}|}}{\ddot{a}_{x:\overline{3}|}} = \dfrac{0.75438}{2.70182} = 0.279212$

$_1L|(K_x = 1) = 1{,}000v - 1{,}000 P_{x:\overline{3}|} = 1{,}000 \left(\dfrac{1}{1.1} - 0.279212 \right) = 629.879119$

6장 준비금의 분석

문제 1번

📄 36,657.312

$$_{10}V = \frac{\left(_9V+P\right)\times(1+i)-100,000q_{x+9}}{p_{x+9}}$$

$$= \frac{(32,535+2,078)\times(1+0.05)-100,000\times0.011}{0.989} = 35,635.64206$$

10년 후에는 보험료를 납입하지 않으므로,

$$_{11}V = \frac{_{10}V\times(1+i)-100,000q_{x+10}}{p_{x+10}}$$

$$= \frac{35,635.64206\times(1+0.05)-100,000\times0.012}{0.988} = 36,657.31191$$

11년 말 책임준비금은 보험료가 없어 $x+11$세의 종신보험의 보험금 기대 현가와 같다.

$$\therefore\ _{11}V = 100,000A_{x+11} = 36,657.31191$$

문제 2번

📄 0.028

$$1,000\,_{21}V_{20} = \frac{\left(1,000\,_{20}V_{20}+1,000P_{20}\right)\times(1+i)-1,000q_{40}}{p_{40}}$$

$$545 = \frac{(490+10)\times(1+i)-1,000\times0.022}{0.978}$$

$$i = 0.110020$$

10년 후에는 보험료를 납입하지 않으므로,

$$1,000\,_{22}V_{20} = \frac{\left(1,000\,_{21}V_{20}+1,000P_{20}\right)\times(1+i)-1,000q_{41}}{p_{41}}$$

$$605 = \frac{(545+10)\times(1+i)-1,000q_{41}}{1-q_{41}}$$

$$395q_{41} = 555\times1.110020-605$$

$$\therefore\ q_{41} = 0.028003$$

문제 3번

 답 4.876

 풀이 --

$$_{20}V = \frac{\left(_{19}V + P\right) \times (1+i) - (21-20)q_{74}}{p_{74}}$$

생사혼합보험의 생존보험금은 1원이므로, $_{20}V = 1$이다.

$$1 = \frac{(0.6 + P) \times (1 + 0.02) - q_{74}}{p_{74}}$$

$$p_{74} + q_{74} = (0.6 + P) \times (1 + 0.02)$$

$$P = \frac{1}{1.02} - 0.6 = 0.38039216$$

$$_{11}V = \frac{\left(_{10}V + P\right) \times (1+i) - (21-10)q_{65}}{p_{65}}$$

$$_{11}V = \frac{(5 + 0.38039216) \times (1 + 0.02) - 1.1}{0.9}$$

$$\therefore \ _{11}V = 4.875556$$

문제 4번

 답 296.096

 풀이 --

연시 준비금은 전년도 말 준비금에 당해연도 보험료를 더한 값이다.
위험보험금은 보험금에서 당해연도 준비금을 차감한 값이다. 즉, 보험사가 보험
금을 지급하기 위해 추가로 준비해야할 금액을 의미한다.
보험료의 수지 상등이 지켜진다는 가정 하에,

$$bP = b\left(\frac{1}{\ddot{a}_x} - d\right) = b\left(\frac{1}{14.65976} - \frac{0.03}{1.03}\right) = b \times 0.039088$$

$$\left(_9V + bP\right) \times (1+i) = \left(b - {_{10}V}\right) \times q_{x+9} + {_{10}V}$$

$$343 \times 1.03 = 872 \times 0.02904 + {_{10}V}$$

$$_{10}V = 327.967120$$

$$872 = b - {_{10}V}$$

$$b = 872 + {_{10}V} = 1{,}199.967120$$

$$bP = 1{,}199.967120 \times 0.039088 = 46.903987$$

$$343 = {_9V} + bP$$

$$\therefore\ _9V = 343 - bP = 296.096013$$

문제 5번

 답 499.102

풀이 ....

$$\ddot{a}_{50:\overline{10|}} = 1 + vp_{50}\ddot{a}_{51:\overline{9|}} = 1 + \frac{1}{1.05} \times 0.989 \times 7.1 = 7.687524$$

$$_{10}V = 2,000A_{50:\overline{10|}} - 100\ddot{a}_{50:\overline{10|}} = 2,000\left(1 - d\ddot{a}_{50:\overline{10|}}\right) - 100\ddot{a}_{50:\overline{10|}}$$

$$= 2,000 - \ddot{a}_{50:\overline{10|}}\left(2,000d + 100\right)$$

$$\therefore\ _{10}V = 499.102494$$

문제 6번

답 83.287

풀이 ....

보험료의 수지 상등이 지켜진다는 가정 하에,

$$0 = {}_0\overline{V} = \int_0^\infty b_t \times v^t \times {}_tp_x \times \mu_{x+t}dt - P \times \int_0^\infty v^t \times {}_tp_x dt$$

$$= \int_0^\infty 1,000e^{0.04t} \times e^{-0.04t} \times e^{-0.02t} \times 0.02\ dt - P \times \int_0^\infty e^{-0.04t} \times e^{-0.02t}dt$$

$$= \int_0^\infty 1,000 \times e^{-0.02t} \times 0.02\ dt - P \times \int_0^\infty e^{-0.06t}dt$$

$$= 1,000 - \frac{P}{0.06}$$

$$\therefore P = 60$$

$$_2\overline{V} = \int_0^\infty b_{t+2} \times v^t \times {}_tp_{x+2} \times \mu_{x+2+t}dt - P \times \int_0^\infty v^t \times {}_tp_{x+2}dt$$

$$= \int_0^\infty 1,000e^{0.04t+0.08} \times e^{-0.04t} \times e^{-0.02t} \times 0.02\,dt - 60 \times \int_0^\infty e^{-0.04t} \times e^{-0.02t}dt$$

$$= \int_0^\infty 1,000e^{0.08} \times e^{-0.02t} \times 0.02\,dt - 60 \times \int_0^\infty e^{-0.06t}dt$$

$$= 1,000e^{0.08} - \frac{60}{0.06} = 1,000\left(e^{0.08} - 1\right)$$

$$\therefore\ _2\overline{V} = 83.287068$$

문제 7번

 답 10.251

부록의 생명표를 보면,

$1,000A_{25} = 81.65,\ 1,000A_{35} = 128.72$

$\ddot{a}_{25} = 16.2242,\ \ddot{a}_{35} = 15.3926$임을 알 수 있다.

$_0V = 0.2 \times 1,000A_{25} - 0.8 \times P \times \ddot{a}_{25}$

$0 = 0.2 \times 81.65 - 0.8 \times P \times 16.2242$

$\therefore\ P = 1.258151$

$_{10}V = 0.2 \times 1,000A_{35} - 0.8 \times P \times \ddot{a}_{35}$

$_{10}V = 0.2 \times 128.72 - 0.8 \times 1.258151 \times 15.3926$

$\therefore\ _{10}V = 10.251023$

문제 8번

답 10.781

$_{20}V = \dfrac{(_{19}V + P) \times (1+i) - 1,000 \times q_{x+19}}{p_{x+19}}$

$= \dfrac{(342.03 + 13.72) \times (1+0.02) - 1,000 \times 0.01254}{1 - 0.01254}$

$= 354.773864$

제20 보험연도 말 책임준비금은 보험료가 없어 $x+20$세의 보험금 기대 현가와 같다.

$_{20}V = 1,000A_{x+20} = 354.773864$

$1,000P_{x+20} = 1,000 \times \dfrac{dA_{x+20}}{1 - A_{x+20}}$

$\therefore\ 1,000P_{x+20} = 10.781259$

문제 9번

답 0.648

피보험자가 50세 일 경우, 제11 보험연도 말 준비금은 다음과 같다.

$$_{11}V_{50} = \frac{\left(_{10}V_{50} + P_{50}\right) \times (1+i) - q_{60}}{p_{60}}$$

$$\left(_{10}V_{50} + P_{50}\right)(1+i) = {}_{11}V_{50} \times p_{60} + q_{60}$$
$$= 0.16637 \times (1 - 0.01368) + 0.01368$$
$$= 0.177774$$

70세인 사람이 가입한 종신보험의 경우, 제11 보험연도 말 준비금은 다음과 같다.
((i)와 (iv) 조건에 의해 다음 식이 성립한다.)

$$_{11}V = \frac{\left(_{10}V + P_{50}\right) \times (1+i) - b_{11}q_{80}}{p_{80}} = \frac{\left(_{10}V_{50} + P_{50}\right) \times (1+i) - b_{11}q_{80}}{p_{80}}$$

$$\left(_{10}V + P_{50}\right)(1+i) = {}_{11}V \times p_{80} + b_{11}q_{80}$$

$$\left(_{10}V_{50} + P_{50}\right)(1+i) = {}_{11}V \times p_{80} + b_{11}q_{80} = 0.177774$$

$$0.16637 \times \left(p_{60} - 0.01\right) + b_{11}\left(q_{60} + 0.01\right) = 0.177774$$

$$0.16637 \times 0.97632 + b_{11} \times 0.02368 = 0.177774$$

$$b_{11} = \frac{0.177774 - 0.16637 \times 0.97632}{0.02368}$$

$$\therefore b_{10} = 0.647958$$

문제 10번

📋 해설 참조

$$_{n}V = \frac{\left(V_{n-1} + P\right) \times (1+i) - q_{x+n-1}\left(K_n + {}_nV\right)}{p_{x+n-1}}$$

$$\left(p_{x+n-1} \times {}_nV\right) + q_{x+n-1}\left(K_n + {}_nV\right) = \left(_{n-1}V + P\right) \times (1+i)$$

$$\left(p_{x+n-1} + q_{x+n-1}\right){}_nV + q_{x+n-1} \times K_n = \left(_{n-1}V + P\right) \times (1+i)$$

$$_{n}V = \left(_{n-1}V + P\right) \times (1+i) - q_{x+n-1} \times K_n$$

다음 재귀식을 정리하면 다음과 같은 식이 도출된다.

$$_{t}V = P\ddot{s}_{\overline{t|}} - \sum_{i=1}^{t} K_t \times q_{x+t-1}(1+i)^{t-i} = P\ddot{s}_{\overline{t|}} - \sum_{i=1}^{t}(1+i)^{t-i} \quad \left(\because K_t = \frac{1}{q_{x+t-1}}\right)$$

$$_{t}V = P\ddot{s}_{\overline{t|}} - s_{\overline{t|}}$$

위 식에 n을 대입하면, $\therefore {}_nV = P\ddot{s}_{\overline{n|}} - s_{\overline{n|}}$

문제 11번

📋 1.669

사망보험금을 10.5 시점에 맞게 할인해주어야 한다.

$$1,000_{10.5}V_x = \frac{\left(1,000_{10}V_x + 1,000p_x\right) \times \left(1+i^{0.5}\right) - 1,000_{0.5}q_{x+10}v^{0.5}}{0.5p_{x+10}}$$

$$= \frac{(311+60)\times(1+0.03)-1,000\times0.5\times0.08\div1.03}{1-0.5\times0.08}$$

$$= 357.599009$$

다음 방법은 직선보간법에 의하여 도출된 값이다.

$$\frac{1,000_{10}V_x + 1,000_{11}V_x + 1,000P_x}{2} = 355.93$$

$$\therefore\ 357.599009 - 355.93 = 1.669099$$

문제 12번

 0.091

제3 보험연도 말 준비금 산식은 다음과 같다.

$$96 = \frac{(84+18)\times1.07-240q_{x+2}}{1-q_{x+2}}$$

$$96-96q_{x+2} = (84+18)\times1.07-240q_{x+2}$$

$$144q_{x+2} = 13.14$$

$$\therefore q_{x+2} = 0.09125$$

문제 13번

답 101.046

제4 보험연도 말 준비금 산식은 다음과 같다.

$$_4V = \frac{(96+24)\times1.06-360\times0.101}{1-0.101} = 101.045606$$

문제 14번

답 115.368

제3.5 보험연도 말 준비금 산식은 다음과 같다. (소수연령 UDD를 가정한다.)

$$_{3.5}V_x = \frac{(96+24) \times 1.06 - 360 \times 0.5 \times 0.101 \times 1.06^{-0.5}}{1 - 0.5 \times 0.101}$$

$$= 115.368113$$

문제 15번

 답 230.536

 풀이 --

부록의 생명표를 보면,

$1{,}000A_{60} = 369.13$, $1{,}000A_{40} = 161.32$, $p_{60} = 0.98624$임을 알 수 있다.

제20 보험연도 말 과거법 책임준비금은 수지상등의 원칙에 의해서 다음과 같이 미래법으로 표시할 수 있다.

$$_{20}V_{40} = 1{,}000P_{40}\ddot{s}_{40:\overline{20}|} - 1{,}000\ _{20}k_{40}$$

$$= 1{,}000A_{60} - 1{,}000P_{40}\ddot{a}_{60} = 1{,}000\frac{A_{60} - A_{40}}{1 - A_{40}} = 247.782229$$

보험료 $5{,}000P_{40}$ 다음과 같다.

$$5{,}000P_{40} = 5{,}000\frac{A_{40}}{\ddot{a}_{40}}$$

$$= 5{,}000\frac{dA_{40}}{1 - A_{40}} = 36.990362$$

따라서 제21 보험연도 말 준비금은 다음과 같다.

$$_{21}V_{40} = \frac{\left(_{20}V_{40} + 5{,}000P_{40}\right) \times (1.04) - q_{60}(5{,}000)}{p_{60}}$$

$$= \frac{(247.782229 + 36.990362) \times (1.04) - (0.01376) \times 5{,}000}{0.98624} = 230.5356$$

문제 16번

 답 0.018

풀이 --

45세 피보험자에 대해서 보험금이 1원이고 표준 사망률을 따르는 이산형 종신보험의 경우 다음 관계식이 성립한다.

$$\left(_{19}V_{45} + p_{45}\right)(1+i) = q_{64} + p_{64}\ _{20}V_{45}$$

영우의 20년간 보험료 $\pi_{19} = P_{45} + 0.010$이고, 64세 사망률이 q_{64}^{*}라고 할 때 관계식은 다음과 같다.

$$\left(_{19}V_{45}+\pi_{19}\right)(1+i)=q^*_{64}+p^*_{64}\ _{20}V_{45}$$

$$\left(_{19}V_{45}+p_{45}+0.010\right)(1+i)=q^*_{64}+p^*_{64}\ _{20}V_{45}$$

위의 두 관계식을 연립하면 영우의 64세 사망률과 표준사망률의 차이는 다음과 같다.

$$(0.010)(1.03)=\left(q^*_{64}-q_{64}\right)+\left(1-q^*_{64}-1+q_{64}\right)\ _{20}V_{45}$$

$$(0.010)(1.03)=\left(q^*_{64}-q_{64}\right)-\left(q^*_{64}-q_{64}\right)\ _{20}V_{45}$$

$$\left(q^*_{64}-q_{64}\right)=\frac{(0.010)(1.03)}{1-0.427}=0.017976$$

문제 17번

 답 53.226

 풀이 --

제3 보험연도 말 준비금은 생존보험금을 지급하기 전 준비금이므로 1,000이다.

$$_0V+P=\left(_1V+1,000\right)vq_{75}+vp_{75}\times\ _1V=v_1V+1,000vq_{75}$$

$$v_1(V+P)=\left(_2V+1,000\right)v^2q_{76}+v^2p_{76}\times\ _2V=v^2\ _2V+1,000v^2q_{76}$$

$$v^2(_2V+P)=\left(_3V+1,000\right)v^3q_{77}+v^3p_{77}\times\ _3V=v^3\ _3V+1,000v^3q_{77}$$

$$v^3\ _3V=1,000v^3$$

위의 식을 모두 더하면

$$P\left(1+v+v^2\right)+\left(0+v_1V+v^2\ _2V+v^3\ _3V\right)$$
$$=\left(v_1V+v^2\ _2V+v^3\ _3V\right)+1,000\left(vq_{75}+v^2q_{76}+v^3q_{77}\right)$$

$$P=\frac{1,000\left(vq_{75}+v^2q_{76}+v^3q_{77}\right)}{\left(1+v+v^2\right)}$$

$$=\frac{1,000\left[(0.943396\times0.05169)+(0.889996\times0.05647)+(0.839619\times0.06168)\right]}{(1+0.943396+0.889996)}$$

$$=53.225926$$

문제 18번

답 1,397.727

 풀이 --

(i)에서 동일한 조건을 만기시점 생존했을 때 지급하는 금액이라고 생각하면 지급금액 B는 다음과 같다.$\left(p_x=p_{x+1}=0.9\right)$

$$B_2E_x=Bv^2\ _2p_x=0.7635B=2,000$$

$B = 2,619.5061729$

제2 보험연도 말 책임준비금은 만기금액이 지급되기 전의 금액이므로

$_2V = 2,619.5061729$이다.

책임준비금 관계식이 다음과 같으므로 이를 연립하여 연납평준보험료를 계산할 수 있다.

$_0V = 0$

$(_1V + \pi) = (2,000 + {}_2V)vq_{x+1} + vp_{x+1} \cdot {}_2V = 2,737.384634$

$(_0V + \pi) = (1,000 + {}_1V)vq_x + vp_x \cdot {}_1V = 1,000vq_x + v \cdot {}_1V$

$\pi = 1,000(0.970874)(0.1) + (0.970874)(2,737.384634 - \pi)$

$\pi = 1,397.726577$

문제 19번

답 286.038

 풀이 --

$$1,000 \, {}_{25}V = \frac{(1,000 \, {}_{24}V + P) \times (1+i) - q_{45+24}(1,000)}{p_{45+24}}$$

(i) $1,000 \, {}_{24}V = \dfrac{(1,000 \, {}_{23}V + P) \times (1+i) - q_{45+23}(1,000)}{p_{45+23}}$

$272 = \dfrac{(255 + P)(1+i) - 20}{0.98}$

$(255 + P) = 286.56v$

(ii) $1,000 \, {}_{23}V = \dfrac{(1,000 \, {}_{22}V + P) \times (1+i) - q_{45+22}(1,000)}{p_{45+22}}$

$255 = \dfrac{(235 + P)(1+i) - 15}{0.985}$

$(235 + P) = 266.175v$

(i)과 (ii)를 연립하면 $(1+i) = 1.01925$, $P = 26.1479$

$\therefore 1,000 \, {}_{25}V = \dfrac{(272 + 26.1479) \times (1.01925) - 25}{0.975} = 286.0382$

문제 20번

답 0.071

 풀이 --

제20 보험연도 말 책임준비금과 제21 보험연도 말 책임준비금의 관계식을 통해

$(1+i)$를 구하자.

$$\left(_{20}V+1{,}000P_{25}\right)\left(1+i\right)=1{,}000q_{45}+p_{45}\cdot\,_{21}V$$

$$(515)(1+i)=25+(0.975)(560)$$

$$(1+i)=1.108738$$

이제 다음 관계식을 통해 q_{46}을 구할 수 있다.

$$\left(_{21}V+1{,}000P_{25}\right)\left(1+i\right)=1{,}000q_{46}+p_{46}\cdot\,_{22}V$$

$$(575)(1.108738)=1{,}000q_{46}+\left(1-q_{46}\right)(610)$$

$$q_{46}=0.070575$$

문제 21번

답 407.767

 풀이 --

과거법 책임준비금 산식을 통해 제2 보험연도 말 책임준비금은 다음과 같다.

$$_{2}^{5}V_{60:\overline{10|}}^{1}=218.15\ddot{s}_{60:\overline{2|}}-\frac{10{,}000vq_{60}+9{,}000v^{2}p_{60}q_{61}}{_{2}E_{60}}$$

$$=218.15\frac{1+vp_{60}}{v^{2}p_{60}p_{61}}-\frac{10{,}000vq_{60}+9{,}000v^{2}p_{60}q_{61}}{v^{2}p_{60}p_{61}}$$

$q_{60+k}=0.02+0.001k,\ k=0,1,2,\cdots,9$에 의해서 $p_{60}=0.98,\ p_{61}=0.979$이다.
따라서 위의 식에 대입하면 책임준비금이 다음과 같이 나온다.

$$_{2}^{5}V_{60:\overline{10|}}^{1}=407.767193$$

문제 22번

답 0.279

 풀이 --

생존보험금 1인 생사혼합보험이므로 $_{10}V=1$,

$_{k}p_{30}=0.98^{k},\ k=1,2,\cdots,10$으로부터 $p_{30+k}=p=0.98$이다.

$$_{0}V+P=v\left(_{1}V+1\right)q+pv\,_{1}V=v\,_{1}V+vq$$

$$v\left(_{1}V+P\right)=v^{2}\left(_{2}V+1\right)q+pv^{2}\,_{2}V=v^{2}\,_{2}V+v^{2}q$$

$$v^{2}\left(_{2}V+P\right)=v^{3}\left(_{3}V+1\right)q+pv^{3}\,_{3}V=v^{3}\,_{3}V+v^{3}q$$

$$v^{3}\left(_{3}V+P\right)=v^{4}\left(_{4}V+1\right)q+pv^{4}\,_{4}V=v^{4}\,_{4}V+v^{4}q$$

$$\vdots$$

$$v^9(_9V+P)=v^{10}(_{10}V+1)q+pv^{10}{}_{10}V=v^{10}{}_{10}V+v^{10}q$$

먼저 위의 식을 모두 더해서 보험료 P를 구할 수 있다.

$$P(1+v+v^2+\cdots+v^9)+(0+v_1V+v^2{}_2V+\cdots+v^9{}_9V)$$

$$=(v_1V+v^2{}_2V+\cdots+v^9{}_9V+v^{10}{}_{10}V)+(v+v^2+\cdots+v^{10})q$$

$$P=\frac{v^{10}{}_{10}V+(v+v^2+\cdots+v^{10})q}{(1+v+v^2+\cdots+v^9)}=0.109144$$

다음으로 위에서 세번째 식까지 더해서 제3 보험연도 말 책임준비금을 구할 수 있다.

$$P(1+v+v^2)+(0+v_1V+v^2{}_2V)=(v_1V+v^2{}_2V+v^3{}_3V)+(v+v^2+v^3)q$$

$${}_3V=\frac{P(1+v+v^2)-(v+v^2+v^3)q}{v^3}=0.279497$$

문제 23번

📋 **답** 407.710

✏️ **풀이**

$${}_0V+P=v\times(_1V+1{,}000)0.03+0.97\times v\times{}_1V=v\times{}_1V+v\times 30$$

$$v\times{}_1V=v^2\times(_2V+1{,}000)0.03+0.97\times v^2\times{}_2V=v^2\times{}_2V+v^2\times 30$$

$$v^2\times{}_2V=v^3\times(_3V+1{,}000)0.03+0.97\times v^3\times{}_3V=v^3\times{}_3V+v^3\times 30$$

$$\vdots$$

$$v^{19}\times{}_{19}V=v^{20}\times(_{20}V+1{,}000)0.03+0.97\times v^{20}\times{}_{20}V=v^{20}\times{}_{20}V+v^{20}\times 30$$

위의 식을 모두 더하면

$$P+(_0V+v\times{}_1V+v^2\times{}_2V+\cdots+v^{19}\times{}_{19}V)$$

$$=(v\times{}_1V+v^2\times{}_2V+\cdots+v^{19}\times{}_{19}V+v^{20}\times{}_{20}V)+30(v+v^2+\cdots+v^{20})$$

20년 만기 정기보험이므로 $_0V={}_{20}V=0$이므로 일시납 보험료는 다음과 같다.

$$P=30\times(v+v^2+\cdots+v^{20})=30\times\frac{1-v^{20}}{i}=407.70979$$

7장 연 생

문제 1번

답 (1) 해설 참조

(2) 0.091

(3) 0.798

(4) $0.06\exp(-0.06t)$ $(t > 0)$

(5) 20.066

풀이

(1) $F_{T(x),T(y)} = \int_0^t \int_0^s (0.04)(0.06)\exp(-0.04u - 0.06v) du dv$

$= \int_0^t (0.06)\exp(-0.06v) - (0.06)\exp(-0.04s - 0.06v) dv$

$= (1 - \exp(-0.06t)) + \exp(-0.04s - 0.06t) - \exp(-0.04s)$

$= \begin{cases} (1 - \exp(-0.06t))(1 - \exp(-0.04s)) , & s > 0, \ t > 0 \\ 0 & , s \leq 0 \ \text{or} \ t \leq 0 \end{cases}$

(2) $\Pr[T(x) > 30, \ T(y) > 20] = \int_{20}^{\infty} \int_{30}^{\infty} (0.04)(0.06)\exp(-0.04u - 0.06v) du dv$

$= \int_{20}^{\infty} (0.06)\exp(-1.2 - 0.06v) dv$

$= \exp(-2.4) = 0.0907179$

(3) $F_{T(x)}(40) = \int_0^{40} \int_0^{\infty} (0.04)(0.06)\exp(-0.04u - 0.06v) dv du$

$= \int_0^{40} (0.04)\exp(-0.04u) du = 1 - \exp(-1.6)$

$= 0.7981034$

(4) $F_{T(y)} = \int_0^t \int_0^{\infty} (0.04)(0.06)\exp(-0.04u - 0.06v) dv du$

$= \int_0^t (0.06)\exp(-0.06v) dv = 1 - \exp(-0.06t)$

$f_{T(y)} = \frac{\partial}{\partial t} F_{T(y)} = 0.06\exp(-0.06t), \ t > 0$

(5) $\Pr[T(y) \leq t] = 0.7$

$= 1 - \exp(-0.06t)$

$$(-0.06t) = \ln(1-0.7)$$

$$t = \frac{\ln(0.3)}{-0.06} = 20.0662134$$

문제 2번

답 0.4727

풀이 --

$$\Pr\left[\,|\,T(x) - T(y)\,| < \frac{1}{4}\,\right] = 1 - \Pr[\,0 < T(x) < 1,\ 0 < T(y) < T(x) - 0.25\,]\}$$

$$- \Pr[\,0 < T(x) < 1,\ T(x) + 0.25 < T(y) < 1\,],$$

$$0 < T(x), T(y) < 1$$

i) $\Pr\left[\dfrac{1}{4} < T(x) < 1,\ 0 < T(y) < T(x) - 0.25\right] = \displaystyle\int_{0.25}^{1}\int_{0}^{x-0.25} 12xy(1-x)\,dydx$

$$= 0.1107$$

ii) $\Pr\left[0 < T(x) < \dfrac{3}{4},\ T(x) + 0.25 < T(y) < 1\right] = \displaystyle\int_{0}^{0.75}\int_{x+0.25}^{1} 12xy(1-x)\,dydx$

$$= 0.4166$$

iii) $\Pr\left[\,|\,T(x) - T(y)\,| < \dfrac{1}{4}\,\right] = 1 - 0.1107 - 0.4166 = 0.4727$

문제 3번

답 (1) $= \dfrac{1}{125}(5-s)(5-t)\left(5 - \dfrac{1}{2}s - \dfrac{1}{2}t\right),\ 0 < s < 5,\ 0 < t < 5$

(2) $-\dfrac{1}{11}$

풀이 --

(1) $S_{T(x),T(y)} = \displaystyle\int_{t}^{5}\int_{s}^{5} \frac{1}{125}(10-u-v)\,dudv$

$$= \frac{1}{125}\int_{t}^{5}\left[10u - \frac{1}{2}u^2 - uv\right]_{u=s}^{5}$$

$$= \frac{1}{125}\int_{t}^{5}\left(10(5-s) - \frac{1}{2}(5^2 - s^2) - (5-s)v\right)dv$$

$$= \frac{1}{125}\left\{\left[10(5-s)v - \frac{1}{2}(5^2 - s^2)v - \frac{1}{2}(5-s)v^2\right]_{v=t}^{5}\right\}$$

$$= \frac{1}{125}(5-s)(5-t)\left(10 - \frac{1}{2}(5+s) - \frac{1}{2}(5+t)\right)$$

$$= \frac{1}{125}(5-s)(5-t)\left(5-\frac{1}{2}s-\frac{1}{2}t\right),\ 0<s<5,\ 0<t<5$$

(2) $\rho_{T(x),T(y)} = \dfrac{Cov[T(x),T(y)]}{\sqrt{Var[T(x)]}\ \sqrt{Var[T(y)]}}$

i) 각 생존확률변수에 대한 밀도함수는 다음과 같다.

$$f_{T(x)} = \int_0^5 \frac{1}{125}(10-s-t)dt$$

$$= \frac{1}{125}\left(50-\frac{1}{2}25-5s\right) = \frac{1}{50}(15-2s),\ 0<s<5$$

$$f_{T(y)} = \int_0^5 \frac{1}{125}(10-s-t)ds = \frac{1}{50}(15-2t),\ 0<t<5$$

ii) 각 생존확률변수의 밀도함수가 동일하므로, 평균과 분산도 동일하며 다음과 같이 구할 수 있다.

$$E[T(x)] = E[T(y)] = \int_0^5 s\cdot\frac{1}{50}(15-2s)ds = \frac{25}{12}$$

$$E[T(x)^2] = E[T(y)^2] = \int_0^5 s^2\cdot\frac{1}{50}(15-2s)ds = \frac{25}{4}$$

$$Var[T(x)] = Var[T(y)] = E[T(x)^2] - E[T(x)]^2 = \frac{275}{144}$$

iii) $Cov[T(x),T(y)] = E[T(x)T(y)] - E[T(x)]E[T(y)]$을 이용해 공분산은 다음과 구하자.

$$E[T(x)T(y)] = \int_0^5\int_0^5 st\frac{1}{125}(10-s-t)dsdt = \int_0^5 \frac{2}{3}t-\frac{1}{10}t^2 dt = \frac{25}{6}$$

$$Cov[T(x),T(y)] = \frac{25}{6} - \left(\frac{25}{12}\right)^2 = -\frac{25}{144}$$

iv) 상관계수식을 사용하여 상관계수는 다음과 같다.

$$\rho_{T(x),T(y)} = \frac{Cov[T(x),T(y)]}{\sqrt{Var[T(x)]}\ \sqrt{Var[T(y)]}} = \frac{-(25/144)}{275/144} = -\frac{1}{11}$$

문제 4번

답 (1) $1-0.01t-0.01s+0.0001ts$

(2) 0.24

(3) 50

(1) $S_{T_x,T_y}(s,t) = \int_s^{100}\int_t^{100} f_{T_x,T_y}(u,v)dudv$

$$= \int_s^{100} \int_t^{100} 0.0001 \, du dv$$

$$= \int_s^{100} \left[0.0001 u \right]_{u=t}^{100} dv$$

$$= \int_s^{100} (0.01 - 0.0001t) \, dv$$

$$= \left[0.01v - 0.0001tv \right]_{v=s}^{100}$$

$$= 1 - 0.01t - 0.01s + 0.0001ts$$

(2) $F_{T_x, T_y}(s, t) = \int_0^s \int_0^t 0.0001 du dv = 0.0001 st$

$\quad F_{T_x, T_y}(40, 60) = 0.0001 \cdot 40 \cdot 60 = 0.24$

(3) $\dot{e}_x = \int_0^{100} {}_t p_x dt = \int_0^{100} 1 - 0.01t \ dt = 100 - 50 = 50$

문제 5번

답 (1) 0.918

　　(2) 0.517

(1) 각 병아리의 미래 생존 기간(년)의 생존 함수는

$$S_{T_x}(s) = \int_s^\infty f_{T_x}(u) \, du$$

$$= \left[-e^{-2u} \right]_{u=s}^\infty = e^{-2s}$$

　　5마리 병아리들의 미래 생존 기간(년)의 결합 생존 함수는

$$S_{T_{(xyz\alpha\beta)}}(s) = S_{T_x}(s) S_{T_y}(s) S_{T_z}(s) S_{T_\alpha}(s) S_{T_\beta}(s)$$

$$= \left(e^{-2s} \right)^5$$

　　결합 생존 함수와 결합 누적 분포 함수 간의 아래와 같은 관계가 성립하므로

$$F_{T_{(xyz\alpha\beta)}}(s) = 1 - \left(e^{-2s} \right)^5$$

　　앞으로 3개월 이내에 5마리의 결합생존상태가 종료하게 될 확률은

$$F_{T_{(xyz\alpha\beta)}} \left(\frac{3}{12} \right) = 1 - \left(e^{-2.5} \right)$$

$$= 0.917915$$

(2) 1년이 지난 시점에서 5마리의 최후 생존자 상태가 생존상태일 확률은

$$S_{T_{\overline{(xyz\alpha\beta)}}}(1) = 1 - F_{T_{\overline{(xyz\alpha\beta)}}}(1)$$

$$= 1 - F_{T_x}(1) F_{T_y}(1) F_{T_z}(1) F_{T_\alpha}(1) F_{T_\beta}(1)$$
$$= 1 - (1 - e^{-2})^5$$
$$= 0.516676$$

문제 6번

 (1) 해설 참조

　(2) 0.262

　(3) 0.065

　(4) 해설 참조

　(5) 0.005

　(6) 38.72

풀이 --

(1) $S_{T_{xy}}(t) = S_{T_x}(t) S_{T_y}(t)$

$$= \begin{cases} \left(1 - \dfrac{t}{50}\right)\left(1 - \dfrac{t}{65}\right), & 0 < t < 50 \\ 0 & , t \geq 50 \end{cases}$$

(2) $\Pr[10 < T_{xy} < 20] = F_{T_{xy}}(20) - F_{T_{xy}}(10)$

$$= 1 - \left(1 - \frac{20}{50}\right)\left(1 - \frac{20}{65}\right) - \left\{1 - \left(1 - \frac{10}{50}\right)\left(1 - \frac{10}{65}\right)\right\}$$

$$= 0.584615 - 0.323077 = 0.261538$$

(3) $\mu_{xy}(t) = \mu_x(t) + \mu_y(t)$

$$= \frac{1}{50 - t} + \frac{1}{65 - t}$$

$$\mu_{xy}(25) = \mu_x(25) + \mu_y(25)$$

$$= 0.04 + 0.025$$

$$= 0.065$$

(4) $F_{T_{\overline{xy}}}(t) = F_{T_x}(t) F_{T_y}(t)$

$$= \frac{t^2}{3250}, \ 0 \leq t \leq 65$$

$$f_{T_{\overline{xy}}}(t) = \frac{t}{1625}, \ 0 < t < 50$$

$$F_{T_{\overline{xy}}}(t) = \frac{t}{65}, \ 50 \leq t < 60$$

$$f_{T_{\overline{xy}}}(t) = \frac{1}{65}, \ 50 \leq t < 60$$

(5) $\Pr[K(\overline{xy})=k]={}_{k|}q_{\overline{xy}}={}_{k+1}q_x \cdot {}_{k+1}q_y-{}_kq_x \cdot {}_ky_y$

$\Pr[K(\overline{xy})\leq 3]$

$=\Pr[K(\overline{xy})=0]+\Pr[K(\overline{xy})=1]+\Pr[K(\overline{xy})=2]+\Pr[K(\overline{xy})=3]$

$\Pr[K(\overline{xy})=0]={}_1q_x \cdot {}_1q_y-{}_0q_x \cdot {}_0q_y=0.000615$

$\Pr[K(\overline{xy})=1]={}_2q_x \cdot {}_2q_y-{}_1q_x \cdot {}_1q_y=0.001231-0.000615=0.000616$

$\Pr[K(\overline{xy})=2]={}_3q_x \cdot {}_3q_y-{}_2q_x \cdot {}_2q_y=0.002769-0.001231=0.001538$

$\Pr[K(\overline{xy})=3]={}_4q_x \cdot {}_4q_y-{}_3q_x \cdot {}_3q_y=0.004923-0.002769=0.002154$

$\Pr[K(\overline{xy})\leq 3]=0.000615+0.000616+0.001538+0.002154=0.004923$

(6) $\dot{e}_{\overline{xy}}=\int_0^\infty {}_tp_{\overline{xy}}dt=\int_0^{50}\left(1-\frac{t^2}{3250}\right)dt+\int_{50}^{60}\left(1-\frac{t}{65}\right)dt=38.717949$

문제 7번

 답 해설 참조

 풀이

그림 7-1을 기준으로 설명하겠다. 빗금이 쳐진 영역을 D라고하고 그 대각선의 영역을 A라하자 A의 위쪽을 B라하고 오른쪽을 C라고 해보자. T_x와 T_y의 축의 각각 t시점을 기준으로 영역을 나누었다고 생각하면 D영역은 ${}_tp_{xy}$가 된다. A영역은 ${}_tq_{\overline{xy}}$가 된다. 그러므로 B, C, D 영역은 ${}_tp_{\overline{xy}}$가 되고 ${}_tp_{\overline{xy}}-{}_tp_{xy}$는 B, C 영역을 의미하며 그림상으로 이는 t시점 이후로 x세인 개체는 생존하고 y세인 개체는 t시점안에 죽을 확률(C영역), t시점 이후로 y세인 개체는 생존하고 x세인 개체는 t시점안에 죽을 확률(B영역)임을 알 수 있다.

문제 8번

답 평균 $=8.19$ 분산 $=10.16$

풀이

각 사람의 퇴사할 때까지의 경과 년수에 대한 분포를 나타내면,

$T_x \sim U(0,\ 14),\ T_y \sim U(0,\ 10)$

$E(T_{xy})=\int_0^{10}\frac{t}{14}+\frac{t}{10}-\frac{t^2}{70}dt=3.809524$

$E(T_{xy}{}^2)=\int_0^{10}\frac{t^2}{14}+\frac{t^2}{10}-\frac{t^3}{70}dt=21.4187$

$E(T_{\overline{xy}})=E(T_x)+E(T_y)-E(T_{xy})=7+5-3.809524=8.190476$

$$E\left(T_{\overline{xy}}^{\ 2}\right)=E\left(T_x^{\ 2}\right)+E\left(T_y^{\ 2}\right)-E\left(T_{xy}^{\ 2}\right)=65.33333+33.33333-21.4187=77.24793$$

$$Var\left(T_{\overline{xy}}\right)=77.24793-67.0839=10.16$$

문제 9번

답 (1) 해설 참조

(2) 0.160

풀이

(1) $_{10}p_{xy}=S_{T_{xy}}(10)=S_{T_xT_y}(10,10)$

$\qquad =\mathrm{Pr}\left(T_x\geq 10,\ \ T_y\geq 10\right)$

$\qquad =0$ (정의되지 않는다.)

(2) $_{10}q_{\overline{xy}}=F_{T_{\overline{xy}}}(10)=\mathrm{Pr}\left(T_x\leq 10,\ \ T_y\leq 10\right)$

$$=\int_0^{10}\int_s^{10}\frac{1}{\sqrt{2\pi}}\,se^{-\frac{st}{2}}\,dt\,ds$$

$$=-\frac{2}{\sqrt{2\pi}}\int_0^{10}e^{-5s}-e^{-\frac{s^2}{2}}\,ds$$

$$=-\frac{2}{\sqrt{2\pi}}\int_0^{10}e^{-5s}\,ds+\frac{2}{\sqrt{2\pi}}\int_0^{10}e^{-\frac{s^2}{2}}\,ds$$

$$=\left[\frac{2}{5\sqrt{2\pi}}e^{-5s}\right]_{s=0}^{10}+\frac{2}{\sqrt{2\pi}}\int_0^{10}e^{-\frac{s^2}{2}}\,ds$$

$$=\frac{2}{5\sqrt{2\pi}}\left(e^{-50}-1\right)+2(\Phi(10)-0.5)=0.840423$$

$_{10}p_{\overline{xy}}=1-0.840423=0.159577$

문제 10번

답 (1) 0.667

(2) 0.967

(3) 0.25

(4) 0.083

(5) 18.056

(6) 36.944

(7) 160.108

(8) 182.33

(9) 82.947

(10) 0.485

풀이

$$\mu(x)=\frac{1}{100-x} \;\rightarrow\; T_x \sim U(0,\; 100-x)$$

(1) $\;_{10}p_{40:50} = \dfrac{50}{60}\times\dfrac{40}{50}=0.666667$

(2) $\;_{10}p_{\overline{40:50}} = 1 - \;_{10}q_{\overline{40:50}} = \; 1 - \;_{10}q_{40}\;_{10}q_{50} = 1 - 0.166667 \cdot 0.2 = 0.966667$

(3) $\;_{25}q^{1}_{25:50} = \displaystyle\int_0^{25} \;_sp_{50}\;_sp_{25}\mu_{25+s}ds$

$$= \int_0^{25}\left(1-\frac{s}{50}\right)\left(1-\frac{s}{75}\right)\frac{1}{75-s}ds$$

$$= \int_0^{25}\frac{50-s}{50}\frac{1}{75}ds$$

$$= \int_0^{25}\frac{50-s}{3750}ds$$

$$= \frac{1}{3750}\left(50\cdot 25 - 0.5\cdot 25^2\right)=0.25$$

(4) $\;_{25}q^{2}_{25:50} = \;_{25}q^{1}_{25:50} - \;_{25}q_{50}\;_{25}q_{25} = 0.25 - \dfrac{25}{50}\dfrac{25}{75}=0.083333$

(5) $\dot{e}_{40:50} = \displaystyle\int_0^{50} \;_tp_{40:50}dt = \int_0^{50}\left(1-\frac{t}{60}\right)\left(1-\frac{t}{50}\right)dt = \int_0^{50}1-\frac{t}{60}-\frac{t}{50}+\frac{t^2}{3000}dt$

$$= t - \frac{t^2}{120} - \frac{t^2}{100} + \frac{t^3}{9000}\Big|_0^{50} = 50 - 20.83333 - 25 + 13.888889$$

$$=\; 18.055559$$

(6) $\dot{e}_{\overline{40:50}} = \dot{e}_{40} + \dot{e}_{50} - \dot{e}_{40:50} = 30 + 25 - 18.055559 = 36.944441$

(7) $Var\left(T_{40:50}\right) = 2\displaystyle\int_0^{50} t\;_tp_{40:50}dt - \left(e_{40:50}\right)^2$

$$= 2\int_0^{50} t\left(1-\frac{t}{60}-\frac{t}{50}+\frac{t^2}{3000}\right)dt - 326.003211$$

$$= \left(t^2 - \frac{t^3}{90} - \frac{t^3}{75} + \frac{1}{6000}t^4\right)\Big|_0^{50} - 326.003211$$

$$= 2500 - 1388.888889 - 1666.666667 + 1041.666667 - 326.003211$$

$$= 160.1079$$

(8) $E\left(T_{xy}\right) = \displaystyle\int_0^{50}\frac{t}{60}+\frac{t}{50}-\frac{t^2}{1500}dt = 18.0555556$

$$E\left(T_{xy}^{\;2}\right) = \int_0^{50} \frac{t^2}{60} + \frac{t^2}{50} - \frac{t^3}{1500}\,dt = 486.111$$

$$E\left(T_{\overline{xy}}\right) = E\left(T_x\right) + E\left(T_y\right) - E\left(T_{xy}\right) = 30 + 25 - 18.055556 = 36.944444$$

$$E\left(T_{\overline{xy}}^{\;2}\right) = E\left(T_x^{\;2}\right) + E\left(T_y^{\;2}\right) - E\left(T_{xy}^{\;2}\right) = 1200 + 833.333 - 486.111 = 1547.222$$

$$Var\left(T_{\overline{40:50}}\right) = E\left(T_{\overline{40:50}}^{\;2}\right) - E\left(T_{\overline{40:50}}\right)^2 = 182.33$$

(9) $Cov\left(T_{40:50},\ T_{\overline{40:50}}\right) = e_{40}e_{50} - e_{40:50}\,e_{\overline{40:50}}$

$$= 30 \cdot 25 - 18.055559 \cdot 36.944441 = 82.947477$$

(10) $\rho_{T_{40:50},\ T_{\overline{40:50}}} = \dfrac{Cov\left(T_{40:50},\ T_{\overline{40:50}}\right)}{\sqrt{Var\left(T_{40:50}\right)}\ \sqrt{Var\left(T_{\overline{40:50}}\right)}} = \dfrac{82.947477}{12.653375 \cdot 13.504073}$

$$= 0.4854$$

문제 11번

 답 0.342

풀이 --

문제에서 주어진 대로 a의 사력을 $\dfrac{1}{15-y}$, b의 사력을 0.15라고 한다면

$_{2|3}q_{3:3} = {}_2p_{3:3} \cdot {}_3q_{5:5} = {}_2p_3^a{}_2p_3^b\left(1 - {}_3p_5^a{}_3p_5^b\right)$

$$= \left(\frac{5}{6}\right)(0.740818)(1 - 0.7 \cdot 0.637628) = 0.341801$$

문제 12번

답 (1) 0.008

(2) 0.567

풀이 --

(1) $_tp_{xy} = \displaystyle\int_t^\infty \int_t^\infty f_{T_xT_y}(u,v)\,du\,dv$

$$= \int_t^\infty \int_t^\infty \frac{2}{(1+u+v)^3}\,du\,dv = 2\int_t^\infty \left[-0.5(1+u+v)^{-2}\right]_{u=t}^\infty dv$$

$$= 2\int_t^\infty 0.5(1+t+v)^{-2}\,dv = \left[-(1+t+v)^{-1}\right]_{v=t}^\infty = (1+t+t)^{-1} = \frac{1}{(1+2t)^2}$$

$$_5p_{xy} = \frac{1}{(1+10)^2} = 0.008264$$

(2) $_tp_{\overline{xy}} = 1 - {}_tq_{\overline{xy}} = 1 - \displaystyle\int_0^t \int_0^t f_{T_xT_y}(u,v)\,du\,dv$

$$= 1 - \int_0^t \int_0^t \frac{2}{(1+u+v)^3} \, du dv = 1 - \int_0^t \left[-(1+u+v)^{-2} \right]_{u=0}^t dv$$

$$= 1 + \int_0^t (1+t+v)^{-2} - (1+v)^{-2} dv$$

$$= 1 - (1+2t)^{-1} + (1+t)^{-1} + (1+t)^{-1} - 1$$

$$= -(1+2t)^{-1} + 2(1+t)^{-1}$$

$$_{10}p_{\overline{xy}} = -0.047619 + 0.181818 = 0.1342$$

문제 13번

답 해설 참조

풀이

$$\Pr\left[K(\overline{xy}) = k \right]$$

$$= {}_{k|}q_{\overline{xy}} = {}_{k+1}q_x \cdot + {}_{k+1}q_y - {}_kq_x \cdot {}_kq_y$$

$$= {}_{k+1}q_x \cdot {}_{k+1}q_y - {}_kq_x \cdot {}_kq_y$$

$$= \left(1 - {}_kp_x p_{x+k} \right)\left(1 - {}_kp_y p_{y+k} \right) - {}_kq_x \cdot {}_kq_y$$

$$= 1 - {}_kp_x p_{x+k} - {}_kp_y p_{x+k} + {}_kp_x p_{x+k} \cdot {}_kp_y p_{y+k} - {}_kq_x \cdot {}_kq_y$$

$$= 1 - {}_kp_x p_{x+k} - {}_kp_y p_{y+k} + {}_kp_x \left(1 - q_{x+k} \right) \cdot {}_kp_y \left(1 - q_{y+k} \right) - {}_kq_x \cdot {}_kq_y$$

$$= 1 - {}_kp_x p_{x+k} - {}_kp_y p_{y+k} + {}_kp_x \cdot {}_kp_y \left(1 - q_{x+k} - q_{y+k} + q_{x+k} \cdot q_{y+k} \right) - {}_kq_x \cdot {}_kq_y$$

$$= 1 - {}_kp_x p_{x+k} - {}_kp_y p_{y+k} + {}_kp_x \cdot {}_kp_y - {}_kp_x \cdot {}_kp_y \cdot q_{x+k} - {}_kp_x \cdot {}_kp_y \cdot q_{y+k}$$
$$\quad + {}_kp_x \cdot {}_kp_y \cdot q_{x+k} \cdot q_{y+k} - {}_kq_x \cdot {}_kq_y$$

$$= 1 - {}_kp_x \left(1 - q_{x+k} \right) - {}_kp_y \left(1 - q_{y+k} \right) - {}_kp_x \cdot {}_kp_y \cdot q_{x+k} - {}_kp_x \cdot {}_kp_y \cdot q_{y+k}$$
$$\quad + {}_kp_x \cdot {}_kp_y \cdot q_{x+k} \cdot q_{y+k} - {}_kq_x \cdot {}_kq_y + \left(1 - {}_kq_x \right) \cdot \left(1 - {}_kq_y \right)$$

$$= 1 - {}_kp_x - {}_kp_y + {}_kp_x \cdot {}_kp_y \cdot q_{x+k} \cdot q_{y+k} + {}_kp_x \cdot q_{x+k} \cdot {}_kq_y + {}_kp_y \cdot q_{y+k} \cdot {}_kq_x$$
$$\quad + 1 - {}_kq_x - {}_kq_y$$

$$= {}_kp_x \cdot {}_kp_y \cdot q_{x+k} \cdot q_{y+k} + {}_kp_x \cdot q_{x+k} \cdot {}_kq_y + {}_kp_y \cdot q_{y+k} \cdot {}_kq_x$$

k, k+1 시점 사이에 x, y 모두 사망하거나 x는 k시점 전에 죽고 y는 k, k+1 시점 사이에 죽거나 반대로 y가 k시점 전에 죽고, x가 k, k+1 시점 사이에 죽는 3가지 경우의 확률의 합을 의미한다.

문제 14번

답 (1) 9,269,132원

　　(2) 3,200,143원

풀이

문제의 현물 이자율을 활용하여 i를 구해보면

$$a_{\overline{3}|i} = \frac{1}{1.08} + \frac{1}{1.035^2} + \frac{1}{1.04^3} = 2.793381$$

약 $i = 1.03655$, $v = 0.9647$, $v^2 = 0.9307$, $v^3 = 0.897903$

(1) $x = 55$, $y = 50$

$$APV = 50{,}000{,}000 \cdot \left(q_{xy}v + {}_{}p_{xy}q_{x+1:y+1}v^2 + {}_{}{}_{xy}q_{x+2:y+2}v^3 \right)$$
$$+ 10{,}000{,}000({}_3p_{xy})v^3$$

$$q_{xy} = 1 - p_x p_y = 1 - 0.9985 \cdot 0.999 = 0.0025$$

$$p_{xy}q_{x+1:y+1} = 0.9975 \cdot \left(1 - p_{x+1}p_{y+1}\right) = 0.9975 \cdot 0.0034 = 0.003392$$

$${}_2p_{xy}q_{x+2:y+2} = 0.9975 \cdot 0.9966(1 - p_{x+2}p_{y+2}) = 0.9941 \cdot (1 - 0.995705) = 0.00427$$

$$APV = 50{,}000{,}000 \cdot \left(0.002427 + 0.003166 + 0.003796\right) + 10{,}000{,}000 \cdot 0.879967$$
$$= 469{,}462 + \ 8{,}799{,}670 = 9{,}269{,}132$$

(2) $P = \dfrac{APV}{\ddot{a}_{xy:\overline{3}|}} = \dfrac{9{,}269{,}133}{1 + p_{xy}v + {}_2p_{xy}v^2} = \dfrac{9{,}269{,}132}{2.896474} = 3{,}200{,}143$

문제 15번

 답 (1) 0.313

(2) 20.232

(3) 845,100,980원

(4) 124,869,030원

 풀이

$${}_tp_{xy} = {}_tp_x \, {}_tp_y = (1 - 0.02t)^2$$

$${}_tq_{\overline{xy}} = {}_tq_x \, {}_tq_y = (0.02t)^2$$

(1) $\overline{A}{}^1_{xy:\,\overline{10}|} = \displaystyle\int_0^{10} v^t \, {}_tp_{xy}\mu_{x+t:y+t}dt$

$$= \int_0^{10} e^{-0.03t}(1 - 0.02t)^2 \left(\frac{0.02}{1 - 0.02t} + \frac{0.02}{1 - 0.02t} \right) dt$$

$$= \int_0^{10} e^{-0.03t}(1 - 0.02t)^2 \left(\frac{0.04}{1 - 0.02t} \right) dt = 0.04 \int_0^{10} e^{-0.03t}(1 - 0.02t) dt$$

$$= 0.04 \int_0^{10} e^{-0.03t} - 0.02t e^{-0.03t} dt = 0.345567 - 0.032832 = 0.312735$$

(2) $\overline{a}_{\overline{xy}} = \overline{a}_x + \overline{a}_y - \overline{a}_{xy} = 2\displaystyle\int_0^{50} e^{-0.03t}(1 - 0.02t) dt - \int_0^{50} e^{-0.03t}(1 - 0.02t)^2 dt$

$$= 2\int_0^{50} e^{-0.03t}(1-0.02t)dt - \int_0^{50} e^{-0.03t}(1-0.02t)^2 dt$$

$$= 32.139119 - \int_0^{50} e^{-0.03t}(1-0.02t)^2 dt = 32.139119 - 11.907259$$

$$= 20.231860$$

(3) $50,000,000 \cdot \bar{a}_{xy} + 30,000,000 \cdot \left(\bar{a}_{x|y} + \bar{a}_{y|x}\right)$

$$= 50,000,000 \cdot \bar{a}_{xy} + 30,000,000 \cdot \left(\bar{a}_x + \bar{a}_y - 2\bar{a}_{xy}\right)$$

$$30,000,000 \cdot \left(\bar{a}_x + \bar{a}_y\right) - 10,000,000 \cdot \bar{a}_{xy}$$

$$= 30,000,000 \cdot 32.139119 - 10,000,000 \cdot 11.907259$$

$$= 845,100,980$$

(4) $\bar{a}_{y|x} = \bar{a}_x - \bar{a}_{xy} = \int_0^{50} e^{-0.03t}(1-0.02t)dt - \int_0^{50} e^{-0.03t}(1-0.02t)^2 dt$

$$= 16.069560 - 11.907259 = 4.162301$$

$$30,000,000\,\bar{a}_{y|x} = 124,869,030원$$

문제 16번

답 1.879

$$\bar{a}_{x|y} = \bar{a}_y - \bar{a}_{xy} = \int_0^{\infty} e^{-0.06t}e^{-0.08t}dt - \int_0^{\infty} e^{-0.06t}e^{-0.08t}e^{-0.05t}dt$$

$$= 7.142857 - 5.263158 = 1.879$$

문제 17번

답 (1) 0.25

(2) 0.75

(3) 0.75

(4) 0.25

풀이 --

(1) $_{10}q_{xy}^1 = \Pr[\,T(x) \le n,\ T(x) \le T(y)\,] = \int_0^{10}\int_s^{\infty} f_{T(x),T(y)}(s,t)dt\,ds$

$$= \int_0^{10}\int_s^{\infty} s \cdot e^{-(s+t)}dt\,ds = \int_0^{10} s \cdot e^{-s}\int_s^{\infty} e^{-t}dt\,ds$$

$$= \int_0^{10} s \cdot e^{-2s} ds = 0.24999999892$$

(2) $\quad {}_{10}q_{xy}^{\,1} = \Pr[\,T(y) \leq 10, T(y) \leq T(x)\,] = \int_0^{10} \int_t^{\infty} f_{T(x),T(y)}(s,t) ds\, dt$

$$= \int_0^{10} \int_t^{\infty} s \cdot e^{-(s+t)} ds\, dt = \int_0^{10} e^{-t} \int_t^{\infty} s \cdot e^{-s} ds\, dt$$

$$= \int_0^{10} (t \cdot e^{-2t} + e^{-2t}) dt = 0.749999988$$

(3) $\quad {}_{10}q_{xy}^{\,2} = \Pr[\,T(x) \leq 10, T(y) \leq T(x)\,] = \int_0^{10} \int_0^{s} f_{T(x),T(y)}(s,t) dt\, ds$

$$= \int_0^{10} \int_0^{s} s \cdot e^{-(s+t)} dt\, ds = \int_0^{10} s \cdot e^{-s} \int_0^{s} e^{-t} dt\, ds$$

$$= \int_0^{10} s \cdot e^{-s} \cdot (1 - e^{-s}) ds = 0.749500612$$

(4) $\quad {}_{10}q_{xy}^{\,2} = \Pr[\,T(y) \leq 10, T(x) \leq T(y)\,] = \int_0^{10} \int_0^{t} f_{T(x),T(y)}(s,t) ds\, dt$

$$= \int_0^{10} \int_0^{t} s \cdot e^{-(s+t)} ds\, dt = \int_0^{10} e^{-t} \int_0^{t} s \cdot e^{-s} ds\, dt$$

$$= \int_0^{10} (e^{-t} - e^{-2t} - t \cdot e^{-2t}) dt = 0.249954612$$

문제 18번

답 해설 참조

 풀이

(1) $\quad {}_{n}q_{xy}^{\,1} = {}_{n}q_{xy}^{\,2} + {}_{n}q_x \cdot {}_{n}p_y = \Pr[\,T(x) \leq n, T(x) \leq T(y)\,]$

$\qquad = \Pr[\,T(x) \leq n, T(y) \leq n, T(x) < T(y)\,] + \Pr[\,T(x) \leq n, T(y) > n\,]$

n년 이내 x가 먼저 사망할 확률은 다음의 확률을 더하면 된다.

1) x와 y 모두 n년 이내 사망하고 x가 먼저 사망할 확률

2) x는 n년 이내 사망하고 y는 n년 동안 생존할 확률

(2) $\quad {}_{n}q_{xy} = {}_{n}q_{xy}^{\,1} + {}_{n}q_{xy}^{\,1} = \Pr[\,T(xy) \leq n\,]$

$\qquad = \Pr[\,T(x) \leq n, T(x) \leq T(y)\,] + \Pr[\,T(y) \leq n, T(y) \leq T(x)\,]$

n년 이내 동시생존자 모형이 끝날 확률은 다음의 확률을 더하면 된다.

1) x가 n년 이내 첫번째로 사망할 확률

2) y가 n년 이내 첫번째로 사망할 확률

(3) $\quad {}_{n}q_{\overline{xy}} = {}_{n}q_{xy}^{\,2} + {}_{n}q_{xy}^{\,2} = \Pr[\,T(\overline{xy}) \leq n\,]$

$$= \Pr[T(x) \le n, T(y) \le T(x)] + \Pr[T(y) \le n, T(x) \le T(x)]$$

n년 이내 최종생존자 모형이 끝날 확률은 다음의 확률을 더하면 된다.

1) n년 이내 x가 두번째로 사망할 확률

2) n년 이내 y가 두번째로 사망할 확률

문제 19번

 0.00000006256

풀이 --

n년 이내에 모두 사망하고, 두 명의 사람이 모두 uniform mortality를 따를 때 각자의 한계연령과 관계없이 먼저 사망할 확률은 동등하다(=0.5).

$q_{50} = 0.001, \; q_{55} = 0.002$ 단수연령은 UDD가정

$$_{\frac{3}{12}}q^{2}_{50+\frac{4}{12}:55+\frac{4}{12}} = {}_{\frac{3}{12}}q_{\overline{50+\frac{4}{12}:55+\frac{4}{12}}} \times 0.5$$

$$_{\frac{3}{12}}q_{\overline{50+\frac{4}{12}:55+\frac{4}{12}}} = {}_{\frac{3}{12}}q_{50+\frac{4}{12}} \times {}_{\frac{3}{12}}q_{55+\frac{4}{12}}$$

$$_{\frac{3}{12}}q_{50+\frac{4}{12}} = \frac{\frac{3}{12} \times 0.001}{1 - \frac{4}{12} \times 0.001} = 0.000250083$$

$$_{\frac{3}{12}}q_{55+\frac{4}{12}} = \frac{\frac{3}{12} \times 0.002}{1 - \frac{4}{12} \times 0.002} = 0.000500334$$

$$_{\frac{3}{12}}q_{\overline{50+\frac{4}{12}:55+\frac{4}{12}}} = {}_{\frac{3}{12}}q_{50+\frac{4}{12}} \times {}_{\frac{3}{12}}q_{55+\frac{4}{12}} = 0.000250083 \times 0.000500334$$

$$= 0.000000125$$

$$\therefore \; {}_{\frac{3}{12}}q^{2}_{50+\frac{4}{12}:55+\frac{4}{12}} = 0.5 \times 0.000000125 = 0.00000006256$$

문제 20번

 319,404,070.3

$$\overline{A}^{\;1}_{50:\overline{20}} = \int_{0}^{70} v^{s} \cdot {}_{s}p_{50} \cdot \mu_{50+s} \cdot {}_{s}p_{20} ds$$

$$= \int_{0}^{70} e^{-0.03s} \cdot \frac{70-s}{70} \cdot \frac{1}{70-s} \cdot \frac{100-s}{100} ds$$

$$= \frac{1}{70 \times 100} \cdot \int_0^{70} e^{-0.03s} \cdot (100-s)ds$$

$$= \frac{1}{7000} \cdot \left[100 \cdot \int_0^{70} e^{-0.03s}ds - \int_0^{70} s \cdot e^{-0.03s}ds \right]$$

$$= \frac{1}{7000} \cdot [100 \times 29.25145239 - 689.3167471] = 0.31940407$$

$$\therefore 10억 \times 0.3194047 = 319,404,070.3$$

문제 21번

답 0.016

풀이 --

$$\pi \cdot \bar{a}_{xy} = \overline{A}_{\overline{xy}}$$

$$E[T(x)] = \frac{1}{\mu_x} = 50 \to \mu_x = 0.02$$

$$E[T(y)] = \frac{1}{\mu_y} = 40 \to \mu_y = 0.025$$

$$\overline{A}_{\overline{xy}} = \overline{A}_x + \overline{A}_y - \overline{A}_{xy}$$

$$\overline{A}_x = \frac{\mu_x}{\mu_x + \delta} = \frac{0.02}{0.02 + 0.04} = \frac{2}{6}$$

$$\overline{A}_y = \frac{\mu_y}{\mu_y + \delta} = \frac{0.025}{0.025 + 0.04} = \frac{0.025}{0.065}$$

$$\overline{A}_{xy} = \frac{\mu_x + \mu_y}{\mu_x + \mu_y + \delta} = \frac{0.02 + 0.025}{0.02 + 0.025 + 0.04} = 0.529411765$$

$$\overline{A}_{\overline{xy}} = \overline{A}_x + \overline{A}_y - \overline{A}_{xy} = \frac{2}{6} + \frac{0.025}{0.065} - 0.529411765 = 0.188536953$$

$$\bar{a}_{xy} = \frac{1 - \overline{A}_{xy}}{\delta} = \frac{1 - 0.529411765}{0.04} = 11.76470588$$

$$\therefore \pi = \frac{\overline{A}_{\overline{xy}}}{\bar{a}_{xy}} = \frac{0.188536953}{11.76470588} = 0.016025641$$

문제 22번

답 0.077

풀이 --

$Z \sim \exp(200)$으로 가정.

$$S_{T_x, T_y}(s, t) = S_{T_x^*}(s) \cdot S_{T_y^*}(t) \cdot e^{-\frac{\max(s, t)}{\theta}} = e^{-\frac{s}{100}} \cdot e^{-\frac{t}{100}} \cdot e^{-\frac{\max(s,t)}{200}}$$

$$\Pr[50 < T(x) < 150, \ 100 < T(y) < 200]$$

$$= S_{T_x, T_y}(50, 100) - S_{T_x, T_y}(50, 200) - S_{T_x, T_y}(150, 100) + S_{T_x, T_y}(150, 200)$$

$$= e^{-0.5} \cdot e^{-1} \cdot e^{-0.5} - e^{-0.5} \cdot e^{-2} \cdot e^{-1} - e^{-1.5} \cdot e^{-1} \cdot e^{-0.75} + e^{-1.5} \cdot e^{-2} \cdot e^{-1}$$

$$= 0.077472689$$

문제 23번

답 (1) 45,021,645원

(2) 2,047,244원

(3) 4,727,273원

풀이 --

(1) $\overline{A}_{\overline{xy}} = \overline{A}_x + \overline{A}_y - \overline{A}_{xy}$

$$= \int_0^\infty e^{-\delta t} \cdot {}_t p_x \cdot \mu_{x+t} dt + \int_0^\infty e^{-\delta t} \cdot {}_t p_y \cdot \mu_{y+t} dt$$

$$- \int_0^\infty e^{-\delta t} \cdot {}_t p_x \cdot {}_t p_y \cdot (\mu_{x+t} + \mu_{y+t}) dt$$

$$= \int_0^\infty e^{-0.055t} \cdot 0.03 dt + \int_0^\infty e^{-0.075t} \cdot 0.05 dt - \int_0^\infty e^{-0.105t} \cdot 0.08 dt$$

$$= 0.45021645$$

∴ 1억 × 0.45021645 = 45,021,645원

(2) $\pi \cdot \overline{a}_{\overline{xy}} = 100,000,000 \cdot \overline{A}_{\overline{xy}}$

$$\pi = 100,000,000 \times \frac{\overline{A}_{\overline{xy}}}{\overline{a}_{\overline{xy}}} = 100,000,000 \times \frac{\overline{A}_{\overline{xy}} \times \delta}{1 - \overline{A}_{\overline{xy}}}$$

$$= 100,000,000 \times \frac{0.45021645 \times 0.025}{1 - 0.45021645} = 2,047,244.093원$$

(3) $Q \times \overline{a}_{xy} = 100,000,000 \times \overline{A}_{\overline{xy}}$

$$Q = 100,000,000 \times \frac{\overline{A}_{\overline{xy}}}{\overline{a}_{xy}}$$

$$\overline{a}_{xy} = \frac{1 - \overline{A}_{xy}}{\delta} = \frac{1 - 0.761904762}{0.025} = 9.523809524$$

∴ $Q = 100,000,000 \times \frac{0.45021645}{9.523809524} = 4,727,272.725원$

문제 24번

 (1) 0.00317

(2) 0.00319

(1) $_{1.5}q_{\overline{xy}} = {}_{1.5}q_x \times {}_{1.5}q_y = \left(q_x + p_x \cdot {}_{0.5}q_{x+1}\right) \times \left(q_y + p_y \cdot {}_{0.5}q_{y+1}\right)$

$= (0.03 + 0.97 \times 0.5 \times 0.033) \times (0.045 + 0.955 \times 0.5 \times 0.05) = 0.003168594$

(2) $_{1.5}q_{\overline{xy}} = {}_{1.5}q_x \times {}_{1.5}q_y = \left(1 - {}_{1.5}p_x\right) \times \left(1 - {}_{1.5}p_y\right)$

$= \left(1 - p_x \cdot {}_{0.5}p_{x+1}\right) \times \left(1 - p_x \cdot {}_{0.5}p_{x+1}\right)$

$= \left(1 - 0.97 \times 0.967^{0.5}\right) \times \left(1 - 0.955 \times 0.95^{0.5}\right) = 0.003191967$

문제 25번

 0

$_{10}V = A_{x+10:y+10} - \pi \times \ddot{a}_{x+10:y+10}$

먼저 π를 구해보면

$A_{xy} = \pi \times \ddot{a}_{xy}$

$A_{xy} = \sum_{k=0}^{\infty} v^{k+1} \cdot {}_k p_{xy} \cdot q_{x+k:y+k} = \sum_{k=0}^{\infty} v^{k+1} \cdot {}_k p_x \cdot {}_k p_y \cdot \left(1 - p_{x+k} \cdot p_{y+k}\right)$

$= \sum_{k=0}^{\infty} e^{-0.03(k+1)} \cdot e^{-0.03k} \cdot e^{-0.03k} \cdot \left(1 - e^{-0.03} \cdot e^{-0.03}\right)$

$= 0.058235466 \cdot e^{-0.03} \cdot \sum_{k=0}^{\infty} e^{-0.09k} = 0.062103679$

$\ddot{a}_{xy} = \sum_{k=0}^{\infty} v^k \cdot {}_k p_{xy} = \sum_{k=0}^{\infty} e^{-0.09k} = 1.098901099$

$\therefore \pi = \dfrac{A_{xy}}{\ddot{a}_{xy}} = \dfrac{0.062103679}{1.098901099} = 0.056514348$

사력이 상수이므로, $A_{xy} = A_{x+10:y+10}$ 및 $\ddot{a}_{xy} = \ddot{a}_{x+10:y+10}$이다.

따라서 $_{10}V = 0$

문제 26번

 (1) 100

(2) 400

풀이

(1) $Cov\big(T(xy),\ T(\overline{xy})\big) = E\big[T(xy) \times T(\overline{xy})\big] - E[T(xy)] \cdot E\big[T(\overline{xy})\big]$

$= E[T(x) \times T(y)] - E[T(xy)] \times E\big[T(\overline{xy})\big]$

$= E[T(x)] \times E[T(y)] - E[T(xy)] \times E\big[T(\overline{xy})\big]$

$= \dot{e}_x \times \dot{e}_y - \dot{e}_{xy} \cdot \dot{e}_{\overline{xy}} = \dot{e}_x \times \dot{e}_y - \dot{e}_{xy} \cdot \big(\dot{e}_x + \dot{e}_y - \dot{e}_{xy}\big)$

$= \big(\dot{e}_x - \dot{e}_{xy}\big) \cdot \big(\dot{e}_y - \dot{e}_{xy}\big)$

$\dot{e}_x = \int_0^\infty {}_t p_x dt = \int_0^\infty e^{-\mu t} dt = \dfrac{1}{\mu} = 20$

$\dot{e}_y = \int_0^\infty {}_t p_y dt = \int_0^\infty e^{-\mu t} dt = \dfrac{1}{\mu} = 20$

$\dot{e}_{xy} = \int_0^\infty {}_t p_{xy} dt = \int_0^\infty {}_t p_x \cdot dt \int_0^\infty e^{-2\mu t} dt = \dfrac{1}{2\mu} = 10$

$\therefore\ Cov\big(T(xy), T(\overline{xy})\big) = \big(\dot{e}_x - \dot{e}_{xy}\big) \cdot \big(\dot{e}_y - \dot{e}_{xy}\big) = (20-10) \times (20-10) = 100$

(2) $Var(|T(x) - T(y)|) = Var[\max(T(x),\ T(y)) - \min(T(x),\ T(y))]$

$= Var\big[T(\overline{xy}) - T(xy)\big]$

$= Var\big[T(\overline{xy})\big] + Var[T(xy)] - 2Cov\big[T(\overline{xy}),\ T(xy)\big]$

$Var\big[T(\overline{xy})\big] = E\big[T(\overline{xy})^2\big] - E\big[T(\overline{xy})\big]^2$

$= \int_0^\infty t^2 \cdot {}_t p_{\overline{xy}} \cdot \mu_{\overline{xy}+t} dt - \left(\int_0^\infty t \cdot {}_t p_{\overline{xy}} \cdot \mu_{\overline{xy}+t} dt\right)^2$

$= \int_0^\infty t^2 \cdot \big({}_t p_x \cdot \mu_{x+t} + {}_t p_y \cdot \mu_{y+t} - {}_t p_{xy} \cdot \mu_{xy+t}\big) dt$

$\quad - \left(\int_0^\infty t \cdot \big({}_t p_x \cdot \mu_{x+t} + {}_t p_y \cdot \mu_{y+t} - {}_t p_{xy} \cdot \mu_{xy+t}\big) dt\right)^2$

$= \int_0^\infty t^2 \big(e^{-0.05t} \cdot 0.05 + e^{-0.05t} \cdot 0.05 - e^{-0.1t} \cdot 0.1\big) dt$

$\quad - \left(\int_0^\infty t \big(e^{-0.05t} \cdot 0.05 + e^{-0.05t} \cdot 0.05 - e^{-0.1t} \cdot 0.1\big) dt\right)^2$

$= \dfrac{2}{0.05^2} \times 2 - \dfrac{2}{0.1^2} - \left[\dfrac{1}{0.05} \times 2 - \dfrac{1}{0.1}\right]^2 = 500$

$Var[T(xy)] = E[T(xy)^2] - E[T(xy)]^2$

$= \int_0^\infty t^2 \cdot {}_t p_{xy} \cdot \mu_{xy+t} dt - \left(\int_0^\infty t \cdot {}_t p_{xy} \cdot \mu_{xy+t} dt\right)^2$

$= \int_0^\infty 2t \cdot {}_t p_{xy} dt - \left(\int_0^\infty {}_t p_{xy} dt\right)^2$

$$= \left[2t \times \frac{e^{-0.1t}}{-0.1}\right]_{t=0}^{\infty} + \int_0^{\infty} 2 \times \frac{e^{-0.1t}}{0.1} dt - \left[\frac{1}{0.1}\right]^2$$

$$= \frac{2}{0.1^2} - \frac{1}{0.1^2} = \frac{1}{0.1^2} = 100$$

$$\therefore \ Var(|T(x) - T(y)|)$$
$$= Var[T(\overline{xy})] + Var[T(xy)] - 2Cov[T(\overline{xy}),\ T(xy)]$$
$$= 500 + 100 - 2 \times 100 = 400$$

문제 27번

 490

$$NSP = 100\overline{A}_{xy} + 200\overline{A}_{\overline{xy}} + 30\left(\overline{a}_{\overline{xy}} - \overline{a}_{xy}\right)$$

$$\overline{A}_{xy} = 1 - \delta \cdot \overline{a}_{xy} = 1 - 0.05 \cdot (6) = 0.7$$

$$\overline{a}_{\overline{xy}} = \overline{a}_x + \overline{a}_y - \overline{a}_{xy} = 10 + 16 - 6 = 20$$

$$\overline{A}_{\overline{xy}} = 1 - \delta \cdot \overline{a}_{\overline{xy}} = 1 - 0.05 \cdot (20) = 0$$

$$\therefore \ NSP = 100\overline{A}_{xy} + 200\overline{A}_{\overline{xy}} + 30\left(\overline{a}_{\overline{xy}} - \overline{a}_{xy}\right)$$
$$= 100 \times 0.7 + 200 \times 0 + 30 \times (20 - 6) = 490$$

문제 28번

 $\dfrac{1}{3}$

사력은 CFM 가정.

흡연자(x)의 생존기간 : $T(x)$

비흡연자(x)의 생존기간 : $T(y)$

$$\Pr[T(x) > T(y)] = {}_{\infty}q_{xy}^2$$

$${}_{\infty}q_{xy}^2 = \int_0^{\infty} {}_tq_y \cdot {}_tp_x \cdot \mu_{x+t} dt = \int_0^{\infty} \left(1 - {}_tp_x\right) \cdot {}_tp_x \cdot \mu_{x+t} dt$$

$$= \int_0^{\infty} {}_tp_x \cdot \mu_{x+t} dt - \int_0^{\infty} {}_tp_y \cdot \mu_{x+t} dt = 1 - \int_0^{\infty} {}_tp_y \cdot {}_tp_x \cdot \mu_{x+t} dt$$

$$= 1 - \int_0^{\infty} e^{-\mu_y + t} \cdot e^{-\mu_x + t} \cdot \mu_{x+t} dt = 1 - \mu_x \cdot \int_0^{\infty} e^{-(\mu_x + \mu_y)t} dt$$

$$= 1 - \frac{\mu_x}{(\mu_x + \mu_y)} = 1 - \frac{\mu_x}{\mu_x + \frac{1}{2}\mu_x} = 1 - \frac{2}{3} = \frac{1}{3}$$

문제 29번

답 해설 참조

풀이 ....

$$\Pr[T^V > T^N] = \int_0^\infty {}_tp_x^V \cdot {}_tp_x^N \cdot \mu_x dt = \int_0^\infty e^{-\mu_x \cdot \theta t} \cdot e^{-\mu_x \cdot t} \cdot \mu_x dt$$

$$= \int_0^\infty e^{-\mu_x t \cdot (\theta+1)} \cdot \mu_x dt = \frac{1}{1+\theta}$$

문제 30번

답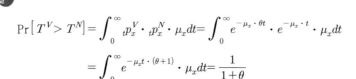

$$\pi = \frac{S_n E_{xy} \cdot + 1.5S\left({}_nE_x - (\overline{IA})^1_{x\,:\,\overline{n|}}\right) + 0.1S\left(\ddot{a}_{x\,:\,\overline{n|}} - \ddot{a}_{xy\,:\,\overline{n|}}\right)}{\ddot{a}_{xy\,:\,\overline{n|}}}$$

풀이 ....

xy 생존시 : S

x만 생존시 : 1.5S

수입현가 $= \pi \cdot \ddot{a}_{xy\,:\,\overline{n|}}$

지출현가 $= S \times {}_nE_{xy} + 1.5S\left({}_nE_x - {}_nE_{xy}\right) + \frac{s}{n}\left(\overline{IA}\right)^1_{x\,:\,\overline{n|}} + 0.1S\left(\ddot{a}_{x\,:\,\overline{n|}} - \ddot{a}_{xy\,:\,\overline{n|}}\right)$

1) 자녀, 부모 n년간 모두 생존 $= S \times {}_nE_{xy}$

2) 자녀만 생존 $= 1.5S\left({}_nE_x - {}_nE_{xy}\right)$

3) 자녀 사망시 $= \frac{s}{n}\left(\overline{IA}\right)^1_{x\,:\,\overline{n|}}$

4) 부모 사망 & 자녀 생존 $= 0.1S\left(\ddot{a}_{x\,:\,\overline{n|}} - \ddot{a}_{xy\,:\,\overline{n|}}\right)$

$$\therefore \ \pi = \frac{S_n E_{xy} \cdot + 1.5S\left({}_nE_x - (\overline{IA})^1_{x\,:\,\overline{n|}}\right) + 0.1S\left(\ddot{a}_{x\,:\,\overline{n|}} - \ddot{a}_{xy\,:\,\overline{n|}}\right)}{\ddot{a}_{xy\,:\,\overline{n|}}}$$

| 8장 | 다중탈퇴모형 |

문제 1번

답 (1) 0.033

(2) 0.095

(3) 0.819

(4) 0.008

(1) $_5q_{50}^{(2)} = \int_0^5 {}_tp_{50}^{(2)} \mu_{50}^{(2)}(t)\,dt$

$_tp_{50}^{(\tau)} = 1 - {}_tq_{50}^{(\tau)} = 1 - \int_0^t f_T(s)\,ds = 1 - \int_0^t \frac{1}{50}\exp\left(-\frac{s}{50}\right)ds = e^{-0.02t}$

$_\infty q_{50}^{(2)} = \int_0^\infty {}_tp_{50}^{(\tau)} \mu_{50}^{(2)}(t)\,dt = \int_0^\infty e^{-0.02t}\mu_{50}^{(2)}(t)\ dt = \left[\mu_{50}^{(2)}(t)\frac{e^{-0.02t}}{0.02}\right]_{t=0}^\infty = 0.35$

$\mu_{50}^{(2)}(t) = 0.35 \times 0.02 = 0.007$

$\therefore\ _5q_{50}^{(\tau)} = \int_0^5 e^{-0.02t}0.007\,dt = 0.0333069$

(2) $_5q_{50}^{(\tau)} = \int_0^5 f_T(t)\ dt = \int_0^5 \frac{1}{50}\exp\left(-\frac{t}{50}\right)dt = 0.0951626$

(3) $_{10}p_{50}^{(\tau)} = 1 - {}_{10}q_{50}^{(\tau)} = 1 - \int_0^{10} f_T(t)\,dt = 1 - \int_0^{10} \frac{1}{50}\exp\left(-\frac{t}{50}\right)dt = 0.818731$

(4) $\mu_{60}^{(3)}(t)$

$_\infty q_{50}^{(3)} = \int_0^\infty {}_tp_{50}^{(\tau)} \mu_{50}^{(3)}(t)\,dt = \int_0^\infty e^{-0.02t}\mu_{50}^{(3)}(t)\,dt = \left[\mu_{50}^{(3)}(t)\frac{e^{-0.02t}}{0.02}\right]_{t=0}^\infty = 0.4$

$\mu_{50}^{(3)}(t) = 0.4 \times 0.02 = 0.008$ (상수)

$\therefore\ \mu_{60}^{(3)}(t) = 0.008$

문제 2번

답 (1) $_tq_x^{(1)} = 0.25$, $_tq_{50}^{(2)} = 0.75$

(2) 해설 참조

(3) 0.114

(4) 0.52

(5) 해설 참조

(6) 0.321

(1) $\displaystyle {}_{\infty}q_x^{(1)} = \int_0^\infty f_{T,J}(s,1)ds = \int_0^{50} \frac{1}{5000}(50-s)ds = \frac{1}{4}$

$\displaystyle {}_{\infty}q_x^{(2)} = \int_0^\infty f_{T,J}(s,2)ds = \int_0^{50} \frac{1}{5000}(100-s)ds = \frac{3}{4}$

(2) $\displaystyle f_T(t) = \sum_{j=1}^2 f_{T,J}(t,j) = \frac{50-t}{5000} + \frac{100-t}{5000} = \frac{150-2t}{5000}$

(3) $\displaystyle {}_{10|40}q_x^{(1)} = {}_{10}p_x^{(\tau)} \, {}_{40}q_{x+10}^{(1)}$

$\displaystyle {}_tp_x^{(\tau)} = 1 - {}_tq_x^{(\tau)} = 1 - \sum_{j=1}^2 \int_0^t f_{T,J}(s,\,j)ds$

$\displaystyle \qquad = 1 - \sum_{j=1}^2 \int_0^t \frac{1}{5000}(50j-t)ds = 1 - \frac{1}{5000}(150t-t^2)$

$\displaystyle \therefore \; {}_{10}p_x^{(\tau)} = 0.71$

$\displaystyle {}_{40}q_{x+10}^{(1)} = \int_{10}^{50} f_{T,J}(t,\,1)dt = \int_{10}^{50} \frac{1}{5000}(50-t)dt = 0.16$

$\displaystyle \therefore \; {}_{10|40}q_x^{(1)} = 0.1136$

(4) $\displaystyle {}_{20}q_x^{(\tau)} = \sum_{j=1}^2 \int_0^{20} f_{T,J}(t,\,j)dt = \sum_{j=1}^2 \int_0^{20} \frac{1}{5000}(50j-t)dt = \sum_{j=1}^2 \frac{1000j-200}{5000} = 0.52$

(5) $\displaystyle \mu_x^{(1)}(t) = \frac{f_{T,J}(t,\,1)}{{}_tp_x^{(\tau)}}$

$\displaystyle {}_tp_x^{(\tau)} = 1 - {}_tq_x^{(\tau)} = 1 - \sum_{j=1}^2 \int_0^t f_{T,J}(s,\,j)ds$

$\displaystyle \qquad = 1 - \sum_{j=1}^2 \int_0^t \frac{1}{5{,}000}(50j-s)ds = 1 - \frac{1}{5{,}000}(150t-t^2)$

$\displaystyle \therefore \; \mu_x^{(1)}(t) = \frac{\dfrac{1}{5{,}000}(50-t)}{1 - \dfrac{1}{5{,}000}(150t-t^2)} = \frac{50-t}{5{,}000-150t+t^2}$

$\displaystyle \mu_x^{(2)}(t) = \frac{f_{T,J}(t,\,2)}{{}_tp_x^{(\tau)}} = \frac{\dfrac{1}{5{,}000}(100-t)}{1 - \dfrac{1}{5{,}000}(150t-t^2)} = \frac{100-t}{5{,}000-150t+t^2}$

$\displaystyle \mu_x^{(\tau)}(t) = -\frac{d}{dt}ln\big({}_tp_x^{(\tau)}\big) = -\frac{d}{dt}ln\left(\frac{5{,}000-150t+t^2}{5{,}000}\right) = \frac{150-2t}{5000-150t+t^2}$

(6) $\Pr(J=1|T=5) = \dfrac{\mu_x^{(1)}(5)}{\mu_x^{(\tau)}(5)} = \dfrac{45}{140} = 0.3214$

문제 3번

답 (1) 783.2

(2) 174.832

(3) 324.017

 풀이 ┄┄┄

(1) $E\left[{}_2 D_1^{(\tau)}\right]$

$${}_2 D_1^{(\tau)} \sim B\left(l_0^{(\tau)}, {}_1p_0^{(\tau)} {}_2q_1^{(\tau)}\right)$$

$${}_1p_0^{(\tau)} {}_2q_1^{(\tau)} = {}_1p_0^{(\tau)}\left(q_1^{(\tau)} + p_1^{(\tau)}q_2^{(\tau)}\right) = 0.07832$$

$$\therefore E\left[{}_2 D_1^{(\tau)}\right] = l_0^{(\tau)} {}_1p_0^{(\tau)} {}_2q_1^{(\tau)} = 1{,}000 \times 0.07832 = 783.2$$

(2) $Var\left[D_1^{(1)}\right]$

$$D_1^{(1)} \sim B\left(l_0^{(\tau)}, {}_1p_0^{(\tau)} q_1^{(1)}\right)$$

$${}_1p_0^{(\tau)} q_1^{(1)} = 0.0178$$

$$\therefore Var\left[D_1^{(1)}\right] = l_0^{(\tau)} {}_1p_0^{(\tau)} q_1^{(1)}\left(1 - {}_1p_0^{(\tau)} q_1^{(1)}\right) = 174.8316$$

(3) $Cov\left[{}_2 D_1^{(1)}, {}_2 D_1^{(2)}\right] = Cov\left[{}_2 D_1^{(1)} + {}_2 D_1^{(2)}, {}_2 D_1^{(2)}\right]$

$$= Cov\left[{}_2 D_1^{(1)}, {}_2 D_1^{(2)}\right] + Cov\left[{}_2 D_1^{(2)}, {}_2 D_1^{(2)}\right]$$

$$= Cov\left[{}_2 D_1^{(1)}, {}_2 D_1^{(2)}\right] + Var\left[{}_2 D_1^{(2)}\right]$$

$${}_2 D_1^{(2)} \sim B\left(l_0^{(\tau)}, {}_1p_0^{(\tau)} {}_2q_1^{(2)}\right)$$

$${}_1p_0^{(\tau)} {}_2q_1^{(2)} = {}_1p_0^{(\tau)}\left(q_1^{(2)} + p_1^{(\tau)}q_2^{(2)}\right) = 0.035155$$

$${}_2 D_1^{(1)} \sim B\left(l_0^{(\tau)}, {}_1p_0^{(\tau)} {}_2q_1^{(1)}\right)$$

$${}_1p_0^{(\tau)}{}_2 q_1^{(1)} = {}_1p_0^{(\tau)}\left(q_1^{(1)} + p_1^{(\tau)}q_2^{(1)}\right) = 0.043165$$

$$Cov\left[{}_2 D_1^{(1)}, {}_2 D_1^{(2)}\right] = -l_0^{(\tau)} {}_1p_0^{(\tau)} {}_2q_1^{(1)} {}_1p_0^{(\tau)} {}_2q_1^{(2)} - 15.1746558$$

$$Var\left[{}_2 D_1^{(2)}\right] = -l_0^{(\tau)} {}_1p_0^{(\tau)} {}_2q_1^{(2)}\left(1 - {}_1p_0^{(\tau)} {}_2q_1^{(2)}\right) = 339.19121598$$

$$\therefore Cov\left[{}_2 D_1^{(\tau)}, {}_2 D_1^{(2)}\right] = 324.0166041$$

문제 4번

답 해설 참조

풀이

(1) $f_{T,J}(t,j) = \mu_{40}^{(j)}(t)$

$\mu_{40}^{(\tau)}(t) = \mu_{40}^{(1)}(t) + \mu_{40}^{(2)}(t) = 0.06$

$_t p_{40}^{(\tau)} = \exp\left(-\int_0^t \mu_{40}^{(\tau)}(s)\,ds\right) = e^{-0.06t}$

$\therefore f_{T,J}(t,j) = \begin{cases} e^{-0.06t}\ 0.01 & j=1 \\ e^{-0.06t}\ 0.05 & j=2 \end{cases}$

(2) $f_T(t) = \sum_{j=1}^{2} f_{T,J}(t,j) = e^{-0.06t}\ 0.01 + e^{-0.06t}\ 0.05 = e^{-0.06t}\ 0.06$

(3) $f_J(j) = \int_0^\infty f_{T,J}(s,\,j)\,ds$

$= \begin{cases} \displaystyle\int_0^\infty e^{-0.06s}\ 0.01\,ds & j=1 \\ \displaystyle\int_0^\infty e^{-0.06s}\ 0.05\,ds & j=2 \end{cases}$

$= \begin{cases} \dfrac{1}{6} & j=1 \\ \dfrac{5}{6} & j=2 \end{cases}$

(4) $f_{J|T}(j|t) = \dfrac{\mu_{40}^{(j)}(t)}{\mu_{40}^{(\tau)}(t)}$

$= \begin{cases} \dfrac{\mu_{40}^{(1)}(t)}{\mu_{40}^{(\tau)}(t)} & j=1 \\ \dfrac{\mu_{40}^{(2)}(t)}{\mu_{40}^{(\tau)}(t)} & j=2 \end{cases}$

$= \begin{cases} \dfrac{1}{6} & j=1 \\ \dfrac{5}{6} & j=2 \end{cases}$

문제 5번

답 (1) 0.058

(2) 0.655

(3) 0.039

풀이

(1) $_3q_x^{(1)} = \int_0^3 {}_tp_x^{(\tau)}\mu_x^{(1)}(t)dt$

$_tp_x^{(\tau)} = \exp\left(-\int_0^t \mu_x^{(\tau)}(s)ds\right) = \exp\left(-\int_0^t\left(\frac{1}{50-s}+0.02\right)ds\right) = \left(\frac{50-t}{50}\right)e^{-0.02t}$

$\therefore {}_3q_x^{(1)} = \int_0^3\left\{\left(\frac{50-t}{50}\right)e^{-0.02t}\times\frac{1}{50-t}\right\}dt = 0.0582355$

(2) $_tp_x^{(\tau)} = \exp\left(-\int_0^t \mu_x^{(\tau)}(s)ds\right) = \exp\left(-\int_0^t\left(\frac{1}{50-s}+0.02\right)ds\right) = \left(\frac{50-t}{50}\right)e^{-0.02t}$

$\therefore {}_{10}p_x^{(\tau)} = 0.6549846$

(3) $\Pr(K\le 1,\ J=1) = \Pr(K=0,\ J=1) + \Pr(K=1,\ J=1) = \Pr(T<2,\ J=1)$

$\Pr(K=0,\ J=1) = q_x^{(1)} = 0.0198013$

$\Pr(K=1,\ J=1) = p_x^{(\tau)}q_{x+1}^{(1)} = 0.0194092$

$\Pr(T<2,\ J=1) = {}_2q_x^{(1)} = \int_0^2\left\{\left(\frac{50-t}{50}\right)e^{-0.02t}\times\frac{1}{50-t}\right\}dt = 0.0392106$

$\therefore \Pr(K\le 1,\ J=1) = 0.03921$

문제 6번

답 (1) 0.013

(2) 0.883

풀이

$_{0.5}q_{40}^{(1)} = 0.02 \rightarrow 0.5q_{40}^{(1)} = 0.02,\ q_{40}^{(1)} = 0.04$

$_{0.5}q_{40}^{(2)} = 0.01 \rightarrow 0.5q_{40}^{(2)} = 0.01,\ q_{40}^{(2)} = 0.02$

$_{0.5}q_{40}^{(3)} = 0.04 \rightarrow 0.5q_{40}^{(3)} = 0.04,\ q_{40}^{(3)} = 0.08$

$q_{40}^{(\tau)} = q_{40}^{(1)} + q_{40}^{(2)} + q_{40}^{(3)} = 0.14$

(1) $_{\frac{8}{12}}q_{40}^{(2)} = \frac{8}{12}\times q_{40}^{(2)} = 0.0133$

(2) $_{\frac{10}{12}}p_{40}^{(\tau)} = 1 - \frac{10}{12}\times q_{40}^{(\tau)} = 0.8833$

문제 7번

답 (1) 0.368

(2) 0.267

(1) $_{20}p_x^{(1)} = \exp\left(-\int_0^{20} \mu_x^{(\tau)}(t)dt\right) = \exp\left(-\left(\int_0^{10} \mu_x^{(\tau)}(t)dt + \int_{10}^{20} \mu_x^{(\tau)}(t)dt\right)\right)$

$\mu_x^{(\tau)}(t) = \begin{cases} 0.02 + 0.01 = 0.03 & t \le 10 \\ 0.03 + 0.04 = 0.07 & t > 10 \end{cases}$

$\therefore\ _{20}p_x^{(\tau)} = \exp\left(-\left(\int_0^{10} 0.03dt + \int_{10}^{20} 0.07dt\right)\right) = e^{-1} = 0.3678794$

(2) $_{15}q_x^{(1)} = \int_0^{15} {}_tp_x^{(\tau)}\mu_x^{(1)}(t)dt = \int_0^{10} {}_tp_x^{(\tau)}\mu_x^{(1)}(t)dt + \int_{10}^{15} {}_tp_x^{(\tau)}\mu_x^{(1)}(t)dt$

$_tp_x^{(\tau)} = \begin{cases} e^{-0.03t} & t \le 10 \\ e^{-0.07t} & t > 10 \end{cases}$

$\therefore\ _{15}q_x^{(1)} = \int_0^{10} e^{-0.03t}\ 0.02dt + e^{-0.03 \times 10} \int_0^5 e^{-0.07t}\ 0.03dt = 0.2665475$

문제 8번

답 (1) 0.658

(2) 0.041

(1) $_3p_{67}^{(1)} = 1 - {}_3q_{67}^{(\tau)}$

$_3q_{67}^{(\tau)} = q_{67}^{(\tau)} + p_{67}^{(\tau)}q_{68}^{(\tau)} + p_{67}^{(\tau)}p_{68}^{(\tau)}q_{69}^{(\tau)} = 0.3418450$

$\therefore\ _3p_{67}^{(\tau)} = 0.6581550$

(2) $_{2|}q_{66}^{(1)} = {}_2p_{66}^{(\tau)}q_{68}^{(1)} = \left(1 - {}_2q_{66}^{(\tau)}\right)q_{68}^{(1)} = \left(1 - \left(q_{66}^{(\tau)} + p_{66}^{(\tau)}q_{67}^{(\tau)}\right)\right)q_{68}^{(1)} = 0.0404950$

문제 9번

답 (1) $E\left[{}_3D_0^{(1)}\right] = 664.8,\ Var\left[{}_3D_0^{(1)}\right] = 443.821$

(2) $E\left[{}_2D_3^{(2)}\right] = 27.614,\ Var\left[{}_2D_3^{(2)}\right] = 27.232$

(3) $Cov\left[{}_1D_3^{(1)}, {}_1D_3^{(2)}\right] = -1.403$

(1) $E\left[{}_3D_0^{(1)}\right],\ Var\left[{}_3D_0^{(1)}\right]$

$_3D_0^{(1)} \sim B\left(l_0^{(\tau)}, {}_3q_0^{(1)}\right)$

$3q_0^{(1)} = q_0^{(1)} + p_0^{(\tau)}q_1^{(1)} + p_0^{(\tau)}p_1^{(\tau)}q_2^{(1)} = 0.3324$

$\therefore\ E\left[{}_3D_0^{(1)}\right] = l_0^{(\tau)}\ {}_3q_0^{(1)} = 664.8$

$$\therefore \; Var\left[{_3}D_0^{(1)}\right]=l_0^{(\tau)}\,{_3}q_0^{(1)}\left(1-{_3}q_0^{(1)}\right)=443.82048$$

(2) $E\left[{_2}D_3^{(2)}\right],\; Var\left[{_2}D_3^{(2)}\right]$

$$_2D_3^{(2)}\sim B\left(l_0^{(\tau)},\,{_3}p_0^{(\tau)}\,{_2}q_3^{(2)}\right)$$

$$_3p_0^{(\tau)}\,{_2}q_3^{(2)}=\left(p_0^{(\tau)}p_1^{(\tau)}p_2^{(\tau)}\right)\left(q_3^{(2)}+p_3^{(\tau)}q_4^{(2)}\right)=0.0138068$$

$$\therefore \; E\left[{_2}D_3^{(2)}\right]=l_0^{(\tau)}\,{_3}p_0^{(\tau)}\,{_2}q_3^{(2)}=27.61356$$

$$\therefore \; Var\left[{_2}D_3^{(2)}\right]=l_0^{(\tau)}\,{_3}p_0^{(\tau)}\,{_2}q_3^{(2)}\left(1-{_3}p_0^{(\tau)}\,{_2}q_3^{(2)}\right)=27.2323057$$

(3) $Cov\left[{_1}D_3^{(1)},\,{_1}D_3^{(2)}\right]=-l_0^{(\tau)}\,{_3}p_0^{(\tau)}q_3^{(1)}\,{_3}p_0^{(\tau)}q_3^{(2)}$

$$_1D_3^{(1)}\sim B\left(l_0^{(\tau)},\,{_3}p_0^{(\tau)}q_3^{(1)}\right)$$

$$_1D_3^{(\tau)}q_3^{(1)}=(1-0.4)\times(1-0.38)\times(1-0.35)\times 0.24=0.058032$$

$$_1D_3^{(2)}\sim B\left(l_0^{(\tau)},\,{_3}p_0^{(\tau)}q_3^{(2)}\right)$$

$$_3p_0^{(\tau)}q_3^{(2)}=(1-0.4)\times(1-0.38)\times(1-0.35)\times 0.05=0.01209$$

$$\therefore \; Cov\left[{_1}D_3^{(1)},\,{_1}D_3^{(2)}\right]=-1.403238$$

문제 10번

🔲 **답** 해설 참조

 풀이

$p_x^{(j)}$의 의미는 1년 안에 j번째 사망 원인으로부터 생존할 확률을 의미한다. 해당 문제를 위해 쉽게 이해하려면, 1년이 지난 시점 이후로부터 j번째 사망원인으로 죽을 확률이라고 표현하는 것이 좋다. j번째 원인으로 1년이 지난 시점 이후로부터 사망할 확률은 정확히 계산할 수가 없다. 다른 원인으로 사망할 경우, 이미 죽었으므로 j번째 원인으로 인해 사망할 확률 측정 자체가 불가능하기 때문이다.

만약 사망 원인이 1가지밖에 없다면, $1-q_x=p_x$는 당연하다. 피보험자는 1년 안에 사망하거나, 1년이 지난 시점 이후에 언젠가는 사망할 것이다. 사망원인이 2가지 이상이면 $1-q_x^{(j)}=p_x^{(j)}$ j번째 원인으로 사망할 확률을 1에서 차감했다고 해서, 해당 피보험자가 1년이 지난 시점 이후에 해당 원인으로 죽는다는 보장이 없다. 다른 원인으로도 사망할 가능성도 존재하기 때문이다. 그래서 해당 식은 다음과 같이 정의가 될 수 없다.

즉, $1-q_x^{(j)}\neq p_x^{(j)}$이다.

문제 11번

🔲 **답** (1) 0.931

(2) 0.217

(3) 0.268

(4) $f_{T,J}(t,1) = (0.765)^t \times -\ln 0.9$, $f_{T,J}(t,2) = (0.765)^t \times -\ln 0.85$

(1) $_{10}q_x^{(\tau)} = 1 - {_{10}}p_x^{(\tau)} = 1 - {_{10}}p_x^{'(1)}{_{10}}p_x^{'(2)} = 1 - (0.9 \times 0.85)^{10} = 0.931354$

(2) $_3q_x^{(1)} = \int_0^3 {_t}p_x^{(\tau)} \times \mu_{x+t}^{(1)} = \int_0^3 (0.9 \times 0.85)^t \times \ln 0.9 = -\ln 0.9 \times \left[\dfrac{0.765^t}{\ln 0.765} \right]_0^3$

$= 0.2172$

$\therefore -\dfrac{d}{dt}\ln {_t}p_x^{(1)} = \mu_{x+t}^{(1)} = -\ln 0.9, \quad -\dfrac{d}{dt}\ln {_t}p_x^{(2)} = \mu_{x+t}^{(2)} = -\ln 0.85$

(3) $\mu_x^{(\tau)}(5) = \mu_x^{(1)}(5) + \mu_x^{(2)}(5) = -\ln 0.9 - \ln 0.85 = 0.267879$

(4) $f_{T,J}(t,j) = {_t}p_x^{(\tau)} \times \mu_{x+t}^{(j)}$

$f_{T,J}(t,1) = {_t}p_x^{(\tau)} \times \mu_{x+t}^{(1)} = (0.765)^t \times -\ln 0.9$

$f_{T,J}(t,2) = {_t}p_x^{(\tau)} \times \mu_{x+t}^{(1)} = (0.765)^t \times -\ln 0.85$

문제 12번

답 (1) $q_x^{'(1)} = 0.283$, $q_x^{'(2)} = 0.632$

(2) $q_x^{(1)} = 0.184$, $q_x^{(2)} = 0.552$

(1)은 2가지 방법으로 풀 수 있다.

(1) $q_x^{'(1)} = \int_0^1 {_t}p_x^{'(1)} \times \mu_{x+t}^{(1)} = \int_0^1 e^{-\int_0^t \mu_x^{(1)}(s)ds} \times \mu_{x+t}^{(1)}$

$= \int_0^1 e^{-\frac{1}{3}t^3} \times t^2 dt = \left[-e^{-\frac{1}{3}t^3} \right]_0^1 = 1 - e^{-\frac{1}{3}} = 0.283469$

$q_x^{'(2)} = 1 - p_x^{'(2)} = 1 - e^{-\int_0^1 \mu_x^{(2)}(s)ds} = 1 - e^{-1} = 0.632121$

(2) $q_x^{(1)} = \int_0^1 {_t}p_x^{(\tau)} \times \mu_{x+t}^{(1)} = \int_0^1 e^{-\int_0^t \mu_x^{(1)}(s) + \mu_x^{(2)}(s)ds} \times \mu_{x+t}^{(1)}$

$= \int_0^1 e^{-\frac{4}{3}t^3} \times t^2 dt = \left[\dfrac{-e^{-\frac{4}{3}t^3}}{4} \right]_0^1 = \dfrac{1 - e^{-\frac{4}{3}}}{4} = 0.184101$

$$q_x^{(2)} = \int_0^1 {_t}p_x^{(\tau)} \times \mu_{x+t}^{(2)} = \int_0^1 e^{-\int_0^t \mu_x^{(1)}(s)+\mu_x^{(2)}(s)ds} \times \mu_{x+t}^{(2)}$$

$$= \int_0^1 e^{-\frac{4}{3}t^3} \times 3t^2 dt = \left[\frac{-3e^{-\frac{4}{3}t^3}}{4}\right]_0^1 = \frac{3-3e^{-\frac{4}{3}}}{4} = 0.552302$$

(1), (2) 답을 이용하면 다음 식을 증명할 수 있다. 다음 식이 성립하는지 값을 직접 대입해보자.

$$q_x^{(\tau)} = q_x^{(1)} + q_x^{(2)} = 1 - \left[\left(1-q_x^{'(1)}\right) \times \left(1-q_x^{'(1)}\right)\right]$$

문제 13번

답 (1) 해설 참조
(2) 해설 참조

 풀이

각 요인의 절대 탈퇴율이 연령 내에서 UDD를 따르므로,

(1) $\displaystyle q_x^{(1)} = \int_0^1 {_t}p_x^{(\tau)} \times \mu_{x+t}^{(1)} dt = \int_0^1 {_t}p_x^{'(1)} \times {_t}p_x^{'(2)} \times {_t}p_x^{'(3)} \times \mu_{x+t}^{(1)} dt$

$$\left(\because \mu_{x+t}^{(j)} = \frac{\frac{d}{dt}{_t}p_x^{'(j)}}{{_t}p_x^{'(j)}} = \frac{\frac{d}{dt}t \times q_x^{'(j)}}{{_t}p_x^{'(j)}} = \frac{q_x^{'(j)}}{{_t}p_x^{'(j)}} \rightarrow {_t}p_x^{'(j)}\mu_{x+t}^{(j)} = q_x^{'(j)}\right)$$

$$= \int_0^1 {_t}p_x^{'(2)} \times {_t}p_x^{'(3)} \times q_x^{'(1)} dt = q_x^{'(1)} \int_0^1 {_t}p_x^{'(2)} \times {_t}p_x^{'(3)} dt$$

$$= q_x^{'(1)} \int_0^1 \left(1 - t \times q_x^{'(2)}\right) \times \left(1 - t \times q_x^{'(3)}\right) dt$$

$$= q_x^{'(1)} \int_0^1 1 - \left(q_x^{'(2)} + q_x^{'(3)}\right)t + q_x^{'(2)} \times q_x^{'(3)} \times t^2 dt$$

$$= q_x^{'(1)} \left(1 - \frac{\left(q_x^{'(2)} + q_x^{'(3)}\right)}{2} + \frac{q_x^{'(2)} \times q_x^{'(3)}}{3}\right)$$

(2) 첫 번째 원인으로 사망할 확률은 두 번째, 세 번째 원인에 의한 영향을 측정한 값을 기반으로 하여 첫 번째 원인으로 인한 절대 탈퇴율을 곱하여 계산된다.

문제 14번

답 0.117

 풀이

탈퇴율은 실제 사망한 사람들을 측정해야 한다. 절대 탈퇴율은 연령 내에서 UDD

를 따른다.

$q_x^{(2)} = {}_{0.2}p_x^{'(1)} \times 0.8 \times q_x^{'(2)}$ (0.2 시점에 사망률)$+ {}_{0.6}p_x^{'(1)} \times 0.2 \times q_x^{'(2)}$ (0.6 시점에 사망률)

0.2 시점에 사망률

$_{0.2}p_x^{'(1)} \times 0.8 \times q_x^{'(2)} = \left(1 - 0.2 \times q_x^{'(1)}\right) \times 0.8 \times 0.12 = 0.094080$

0.6 시점에 사망률

$_{0.6}p_x^{'(1)} \times 0.2 \times q_x^{'(2)} = \left(1 - 0.6 \times q_x^{'(1)}\right) \times 0.2 \times 0.12 = 0.022560$

$q_x^{(2)} = 0.094080 + 0.020394 = 0.116640$

문제 15번

 (1) 0.029, 0.069

(2) 0.029, 0.069

다중 탈퇴율이 UDD를 따르면 다음 식이 성립한다.

(1) $q_x^{(j)} = q_x^{(\tau)} \times \dfrac{\ln p_x^{'(j)}}{\ln p_x^{(\tau)}}$

$q_x^{(1)} = q_x^{(\tau)} \times \dfrac{\ln p_x^{'(1)}}{\ln p_x^{'(\tau)}} = \left(1 - p_x^{'(1)} \times p_x^{'(2)}\right) \times \dfrac{\ln p_x^{'(1)}}{\ln \left(p_x^{'(1)} \times p_x^{'(2)}\right)} = 0.028943$

$q_x^{(2)} = q_x^{(\tau)} \times \dfrac{\ln p_x^{'(2)}}{\ln p_x^{'(\tau)}} = \left(1 - p_x^{'(1)} \times p_x^{'(2)}\right) \times \dfrac{\ln p_x^{'(2)}}{\ln \left(p_x^{'(1)} \times p_x^{'(2)}\right)} = 0.068957$

(2) 절대 탈퇴율이 UDD를 따르면 다음 식이 성립한다. (1), (2)를 바꾸어도 성립한다.

$q_x^{(1)} = q_x^{'(1)} \left(1 - \dfrac{q_x^{'(2)}}{2}\right)$

$q_x^{(1)} = q_x^{'(1)} \left(1 - \dfrac{q_x^{'(2)}}{2}\right) = 0.02895, \quad q_x^{(2)} = q_x^{'(2)} \left(1 - \dfrac{q_x^{'(1)}}{2}\right) = 0.06895$

문제 16번

 해설 참조

다음 풀이는 생략하도록 하겠다. (풀이가 유사하므로 63세, 64세는 생략하겠다)

다중 탈퇴율이 UDD를 따를 때,

$$q_{62}^{'(1)} = q_x^{(\tau)} \times \frac{\ln p_x^{'(1)}}{\ln p_x^{(\tau)}} = 0.017673, \;\; q_{62}^{'(2)} = q_x^{(\tau)} \times \frac{\ln p_x^{'(2)}}{\ln p_x^{(\tau)}} = 0.026645$$

$$q_{62}^{'(3)} = q_x^{(\tau)} \times \frac{\ln p_x^{'(3)}}{\ln p_x^{(\tau)}} = 0.195202$$

문제 17번

답 0.027

다중 탈퇴율이 UDD를 따르면, 전체 탈퇴율도 UDD를 따른다.

$$_{0.75}q_{60.5}^{(2)} = {}_{0.5}q_{60.5}^{(2)} + {}_{0.5}p_{60.5}^{(\tau)} \times {}_{0.25}q_{61}^{(2)}$$

$$_{0.5}q_{60.5}^{(2)} = \frac{_{0.5|0.5}q_{60}^{(2)}}{_{0.5}p_{60}^{(\tau)}} = \frac{_{0.5}q_{60}^{(2)}}{1 - 0.5q_{60}^{(\tau)}} = \frac{0.5q_{60}^{(2)}}{1 - 0.5q_{60}^{(\tau)}} = \frac{0.014925}{0.98015} = 0.015228$$

$$_{0.5|0.5}q_{60}^{(2)} = \int_{0.5}^{1} {}_{t}p_{60}^{(\tau)}\mu_{60+t}^{(2)}dt = \int_{0.5}^{1} q_{60}^{(2)}dt = 0.5q_{60}^{(2)}$$

$$0.5q_{60}^{(2)} = 0.5q_{60}^{(\tau)} \times \frac{\ln p_{60}^{'(2)}}{\ln p_{60}^{(\tau)}} = 0.5 \times 0.0397 \times \frac{\ln 0.97}{\ln(0.99 \times 0.97)} = 0.014925$$

$\int_0^t {}_{s}p_x^{(\tau)}\mu_{x+s}^{(j)}ds = {}_{}q_x^{(j)}$, 다중 탈퇴율이 UDD를 따른다는 가정하에 양변을 t로 미분하면,

$$\therefore {}_{t}p_x^{(\tau)}\mu_{x+t}^{(j)} = q_x^{(j)}$$

또한 균등 분포이기 때문에 $_{0.5|0.5}q_{60}^{(2)} = {}_{0.5}q_{60}^{(2)}$라는 사실은 당연하다.

$$_{0.5}p_{60.5}^{(\tau)} = \frac{p_{60}^{(\tau)}}{_{0.5}p_{60}^{(\tau)}} = \frac{p_{60}^{'(1)} \times p_{60}^{'(2)}}{1 - 0.5q_{60}^{(\tau)}} = \frac{0.9603}{0.98015} = 0.979748$$

$$_{0.25}q_{61}^{(2)} = 0.25 \times q_{61}^{(2)} = 0.25 \times q_{61}^{(\tau)} \times \frac{\ln p_{61}^{'(2)}}{\ln p_{61}^{(\tau)}} = 0.25 \times 0.069 \times \frac{\ln 0.95}{\ln(0.98 \times 0.95)}$$

$$= 0.012376$$

$$_{0.75}q_{60.5}^{(2)} = {}_{0.5}q_{60.5}^{(2)} + {}_{0.5}p_{60.5}^{(\tau)} \times {}_{0.25}q_{61}^{(2)} = 0.015228 + 0.979748 \times 0.012376$$

$$\therefore {}_{0.75}q_{60.5}^{(2)} = 0.027353$$

문제 18번

답 해설 참조

풀이 --

$$_tq_x^{(j)} = \int_0^t {_up_x^{(\tau)}} \times \mu_x^{(j)}(u)\,du = \int_0^t e^{-\int_0^u \mu_x^{(1)}(s)+\mu_x^{(2)}(s)+\mu_x^{(3)}(s)ds} \times \mu_x^{(j)}(u)\,du$$

$$= \int_0^t e^{-\int_0^u \ln(1.05\times1.08\times1.2)} \times \mu_x^{(j)}(u)\,du = \int_0^t (1.05\times1.08\times1.2)^{-u} \times \mu_x^{(j)}(u)\,du$$

다중 탈퇴력은 상수이기 때문에 적분 밖으로 빼낼 수 있다.

$$= \mu_x^{(j)}(t)\int_0^t (1.05\times1.08\times1.2)^{-u}\,du = -\mu_x^{(j)}(t)\left[\frac{(1.05\times1.08\times1.2)^{-t}}{\ln(1.05\times1.08\times1.2)}\right]_0^t$$

$$= \frac{\mu_x^{(j)}(t)}{\ln(1.05\times1.08\times1.2)}\left(1-(1.05\times1.08\times1.2)^{-t}\right)$$

문제 19번

 답 (1) 865,165원

  (2) 질병사망시 92,554,460원, 상해사망시 45,424,664원

풀이 --

(1) 질병사망을 (1), 상해사망을 (2)라고 할 때,

  질병사망시

  1억$\left(v_1q_{40}^{(1)} + v^2{_1p_{40}^{(\tau)}}{_1q_{41}^{(1)}} + v^3{_2p_{40}^{(\tau)}}{_1q_{42}^{(1)}}\right)$

  $= 1$억$\left(\dfrac{0.005}{1.03} + \dfrac{0.994\times0.007}{1.03^2} + \dfrac{0.994\times0.989\times0.009}{1.03^3}\right)$

  $= 1,950,975,312$

  상해사망시

  0.5억$\left(v_1q_{40}^{(2)} + v^2{_1q_{40}^{(\tau)}}{_1q_{41}^{(2)}} + v^3{_2p_{40}^{(\tau)}}{_1q_{42}^{(2)}}\right)$

  $= 0.5$억$\left(\dfrac{0.001}{1.03} + \dfrac{0.994\times0.004}{1.03^2} + \dfrac{0.994\times0.989\times0.007}{1.03^3}\right)$

  $= 550,807.3837$

  연납보험료

  $$P\left(1 + v_1p_{40}^{(\tau)} + v^2{_2p_{40}^{(\tau)}}\right) = P\left(1 + \frac{0.994}{1.03} + \frac{0.994\times0.989}{1.03^2}\right) = 2.891683P$$

  $2.891683P = 1,950,975,312 + 550,807.3837$

  $\therefore\ P = 865,165.0611$

(2) 2차 보험년도에 질병사망시

  $${_0L} = v^2\times1억 - P(1+v) = 92,554,459.77원$$

  2차 보험년도에 상해사망시

$$_0L = v^2 \times 0.5\text{억} - P(1+v) = 45,424,664.32\text{원}$$

문제 20번

 (1) 297,753.328원

(2) 7.534×10^{12}

풀이

(1) 보험금 지급은 연말에 발생한다고 가정한다.

결함발생을 (1), 파손발생을 (2)라고 할 때,

결함발생시

$$3,000\text{만원}\left(v\,q_x^{(1)} + v^2\,p_x^{(\tau)}\,q_{x+1}^{(1)}\right) = 3,000\text{만원}\left(\frac{0.001}{1.04} + \frac{0.997 \times 0.007}{1.04^2}\right)$$
$$= 222,420.4882$$

파손발생시

$$2,000\text{만원}\left(v\,q_x^{(1)} + v^2\,p_x^{(\tau)}\,q_{x+1}^{(1)}\right) = 2,000\text{만원}\left(\frac{0.002}{1.04} + \frac{0.997 \times 0.002}{1.04^2}\right)$$
$$= 75,332.84024$$

보험료는 일시납이므로

$$P = 222,420.4882 + 75,332.84024 = 297,753.3284$$

(2) $_0L$ 손실 확률 변수는 다음과 같다.

	발생 확률	비고
$v \times 3,000\text{만원} - P$ $(= 28,548,400.52)$	0.001	1차 보험년도에 결함발생시
$v \times 2,000\text{만원} - P$ $(= 18,933,015.90)$	0.002	1차 보험년도에 파손발생시
$v^2 \times 3,000\text{만원} - P$ $(= 27,438,933.06)$	0.997×0.007	2차 보험년도에 결함발생시
$v^2 \times 2,000\text{만원} - P$ $(= 18,193,370.93)$	0.997×0.002	2차 보험년도에 파손발생시
$- P$ $(= -297,753.3284)$	0.997×0.991	아무 이상 없을 시

$$Var(_0L) = E[_0L^2] - E[_0L]^2 = E[_0L^2] = 7.533991 \times 10^{12}$$

(수지상등의 원칙을 이용한 보험료를 적용하므로 손실 현가의 기대값은 0이다.)

문제 21번

 답 (1) 4,094,070원

    (2) 8,938,226원

풀이 --

(1) 불의의 사고로 인한 사망＝(1)

    암 발생＝(2)

$$\text{지출의 현가} = \int_0^{20} v^t \cdot {}_tp_{35}^{(\tau)} \cdot \mu_{35+t}^{(\tau)} dt + 2 \cdot \int_0^{20} v^t \cdot {}_tp_{35}^{(\tau)} \cdot \mu_{35+t}^{(1)} dt$$

$$= \int_0^{20} e^{-0.03t} \cdot e^{-0.015t} \cdot (0.015) dt + 2 \cdot \int_0^{20} e^{-0.03t} \cdot e^{-0.015t} \cdot (0.005) dt$$

$$= 0.015 \times \int_0^{20} e^{-0.045t} dt + 2 \times 0.005 \times \int_0^{20} e^{-0.045t} dt$$

$$= 0.015 \times \frac{1-e^{-0.045 \times 20}}{0.045} + 2 \times 0.005 \times \frac{1-e^{-0.045 \times 20}}{0.045}$$

$$= 0.197810113 + 0.131873409 = 0.329683522$$

$$\bar{a}_{35:\overline{10|}}^{(\tau)} = \int_0^{10} v^t \cdot {}_tp_{35}^{(\tau)} dt = \int_0^{10} e^{-0.045t} dt = \frac{1-e^{-0.045 \times 10}}{0.045} = 8.052707742$$

$$\therefore \pi = \frac{0.329683522}{8.052707742} = 0.040940704 \text{억}$$

(2) 미래지출현가

$$= \int_0^{15} v^t \cdot {}_tp_{40}^{(\tau)} \cdot \mu_{40+t}^{(\tau)} dt + 2 \cdot \int_0^{15} v^t \cdot {}_tp_{40}^{(\tau)} \cdot \mu_{40+t}^{(1)} dt$$

$$= \int_0^{15} e^{-0.03t} \cdot e^{-0.015t} \cdot (0.015) dt + 2 \cdot \int_0^{15} e^{-0.03t} \cdot e^{-0.015t} \cdot (0.005) dt$$

$$= 0.015 \times \int_0^{15} e^{-0.045t} dt + 2 \times 0.005 \times \int_0^{15} e^{-0.045t} dt$$

$$= 0.015 \times \frac{1-e^{-0.045 \times 15}}{0.045} + 2 \times 0.005 \times \frac{1-e^{-0.045 \times 15}}{0.045}$$

$$= 0.163614526 + 0.109076351 = 0.272690877$$

$$\bar{a}_{40:\overline{5|}}^{(\tau)} = \int_0^5 v^t \cdot {}_tp_{40}^{(\tau)} dt = \int_0^5 e^{-0.045t} dt = \frac{1-e^{-0.045 \times 5}}{0.045} = 4.477417361$$

$$\therefore {}_5V = 0.272690877 - 0.040940704 \times 4.477417361 = 0.089382258$$

문제 22번

답 0.097

t의 범위에 따른 $_tp_{50}^{(\tau)}$를 구해보면

$0 \le t < 0.25 \rightarrow {}_tp_{50}^{(\tau)} = {}_tp_{50}^{(\tau)} \cdot (1)$

$0.25 \le t < 0.5 \rightarrow {}_tp_{50}^{(\tau)} = {}_tp'^{(1)}_{50} \cdot \left(1 - 0.25 \cdot q'^{(2)}_{50}\right)$

$0.5 \le t < 0.75 \rightarrow {}_tp_{50}^{(\tau)} = {}_tp'^{(1)}_{50} \cdot \left(1 - 0.6 \cdot q'^{(2)}_{50}\right)$

$0.75 \le t < 1 \rightarrow {}_tp_{50}^{(\tau)} = {}_tp'^{(1)}_{50} \cdot \left(1 - q'^{(2)}_{50}\right)$

$$q_{50}^{(1)} = \int_0^1 {}_tp_{50}^{(\tau)} \cdot \mu_{50+t}^{(1)} dt$$

$$= \int_0^{0.25} {}_tp_{50}^{(\tau)} \cdot \mu_{50+t}^{(1)} dt + \int_{0.25}^{0.5} {}_tp_{50}^{(\tau)} \cdot \mu_{50+t}^{(1)} dt + \int_{0.5}^{0.75} {}_tp_{50}(\tau) \cdot \mu_{50+t}^{(1)} dt$$

$$+ \int_{0.75}^1 {}_tp_{50}^{(\tau)} \cdot \mu_{50+t}^{(1)} dt$$

$$\int_0^{0.25} {}_tp_{50}^{(\tau)} \cdot \mu_{50+t}^{(1)} dt = \int_0^{0.25} {}_tp'^{(1)}_{50} \cdot \mu_{50+t}^{(1)} dt = q'^{(1)}_{50} \times 0.25 = 0.015$$

$$\int_{0.25}^{0.5} {}_tp_{50}^{(\tau)} \cdot \mu_{50+t}^{(1)} dt = \int_{0.25}^{0.5} {}_tp'^{(1)}_{50} \cdot \left(1 - 0.25 \cdot q'^{(2)}_{50}\right) \cdot \mu_{50+t}^{(1)} dt$$

$$= q'^{(1)}_{50} \times \left(1 - 0.25 \cdot q'^{(2)}_{50}\right) \times 0.25 = 0.014625$$

$$\int_{0.5}^{0.75} {}_tp_{50}^{(\tau)} \cdot \mu_{50+t}^{(1)} dt = \int_{0.5}^{0.75} {}_tp'^{(1)}_{50} \cdot \left(1 - 0.6 \cdot q'^{(2)}_{50}\right) \cdot \mu_{50+t}^{(1)} dt$$

$$= q'^{(1)}_{50} \times \left(1 - 0.6 \cdot q'^{(2)}_{50}\right) \times 0.25 = 0.0141$$

$$\int_{0.75}^1 {}_tp_{50}^{(\tau)} \cdot \mu_{50+t}^{(1)} dt = \int_{0.75}^1 {}_tp'^{(1)}_{50} \cdot \left(1 - q'^{(2)}_{50}\right) \cdot \mu_{50+t}^{(1)} dt$$

$$= q'^{(1)}_{50} \times \left(1 - q'^{(2)}_{50}\right) \times 0.25 = 0.0135$$

$\therefore q_{50}^{(1)} = 0.015 + 0.014625 + 0.0141 + 0.0135 = 0.057225$

$q_{50}^{(\tau)} = 1 - p_{50}^{(\tau)} = 1 - (1 - 0.06) \cdot (1 - 0.1) = 0.154$

$\therefore q_{50}^{(2)} = 0.154 - 0.057225 = 0.096775$

문제 23번

답 (1) 0.192

(2) 17.019

(1) 사별=(1) 갈등=(2)라고 하면

$$\mu_{30+t}^{(1)} = 0.005 + 0.001t, \ \mu_{30+t}^{(2)} = 0.05 - 0.001t, \ \mu_{30+t}^{(\tau)} = 0.055$$

$${}_{30}p_{30}^{(\tau)} = e^{-0.055 \times 30} = 0.192049909$$

(2) $E[T_{30}] = \displaystyle\int_0^{50} {}_t p_{30}^{(\tau)} dt = \int_0^{50} e^{-0.055t} dt = \dfrac{1 - e^{-0.055 \times 50}}{0.055} = 17.01949343$

문제 24번

답 (1) 1,887,019원

　(2) 1,589,114원

(1) 질병사망=(1), 상해사망=(2)

1차년도에 보험금이 지급될 확률

${}^M q_{45}^{(1)} \cdot \left({}^W p_{45}^{(\tau)} + {}^W q_{45}^{(1)} + {}^W q_{45}^{(2)} \right) + {}^W q_{45}^{(1)} \cdot \left({}^M p_{45}^{(\tau)} + {}^M q_{45}^{(2)} \right) \rightarrow$ 질병사망

$\quad + {}^M q_{45}^{(2)} \cdot \left({}^W p_{45}^{(\tau)} + {}^W q_{45}^{(2)} \right) + {}^W q_{45}^{(2)} \cdot \left({}^M p_{45}^{(\tau)} \right) \rightarrow$ 상해사망

$= 0.0045 \times (0.9971 + 0.0025 + 0.0004) + 0.0025 \times (0.9945 + 0.001)$

$\quad + 0.001 \times (0.9971 + 0.0004) + 0.0004 \times 0.9945 = 0.00838405$

2차년도에 보험금이 지급될 확률

${}^M p_{45}^{(\tau)} \cdot {}^W p_{45}^{(\tau)} \times \left\{ {}^M q_{45}^{(1)} \cdot \left({}^W p_{45}^{(\tau)} + {}^W q_{45}^{(1)} + {}^W q_{45}^{(2)} \right) + {}^W q_{45}^{(1)} \cdot \left({}^M p_{45}^{(\tau)} + {}^M q_{45}^{(2)} \right) \rightarrow$ 질병사망

$\quad + {}^M q_{45}^{(2)} \cdot \left({}^W p_{45}^{(\tau)} + {}^W q_{45}^{(2)} \right) + {}^W q_{45}^{(2)} \cdot \left({}^M p_{45}^{(\tau)} \right) \right\} \rightarrow$ 상해사망

$= 0.9945 \times 0.9971 \times \{ 0.0055 \times (0.9964 + 0.003 + 0.0006)$

$\quad + 0.003 \times (0.993 + 0.0015) + 0.0015 \times (0.9964 + 0.0006) + 0.0006 \times 0.993 \}$

$= 0.01048614$

$\therefore \ 0.00838405 + 0.01048614 = 0.01887019$

(2) (1)에서 각각의 확률에 이자율과 질병, 상해사망 보험금을 덧붙이면

1차년도

$= 1억 \times \dfrac{1}{1.05} \times [0.0045 \times (0.9971 + 0.0025 + 0.0004) + 0.0025 \times (0.9945 + 0.001)]$

$\quad + 0.5억 \times \dfrac{1}{1.05} \times [0.001 \times (0.9971 + 0.0004) + 0.0004 \times 0.9945]$

$= 0.006655952 + 0.000664429 = 0.007320381$

2차년도

$= 1억 \times \dfrac{1}{1.05^2} \times 0.99161595 \times [0.0055 \times (0.9964 + 0.003 + 0.0006)$

$\quad + 0.003 \times (0.993 + 0.0015)] + 0.5억 \times \dfrac{1}{1.05^2} \times 0.99161595$

$$\times\,[0.0015\times(0.9964+0.0006)+0.0006\times0.993]$$

$$=0.007630271+0.000940484=0.008570755$$

$$\therefore\ NSP=0.007320381+0.008570755=0.015891136$$

문제 25번

 답 (1) 1,524,939원

    (2) 529,830원

    (3) $_1V=202{,}034$원, $_2V=205{,}464$원, $_3V=0$

풀이

(1) 암을 (1), 기타질병을 (2)라고 하면

$$NSP=0.5\times\sum\nolimits_{k=0}^{2}v^{k+1}\cdot\,_{k|}q_{40}^{(\tau)}+0.5\times\sum\nolimits_{k=0}^{2}v^{k+1}\cdot\,_{k|}q_{40}^{(1)}$$

$$\sum\nolimits_{k=0}^{2}v^{k+1}\cdot\,=v\cdot q_{40}^{(\tau)}+v^2\cdot p_{40}^{(\tau)}\cdot q_{41}^{(\tau)}+v^3\cdot\,_2p_{40}^{(\tau)}\cdot q_{42}^{(\tau)}$$

$$=\frac{1}{1.04}\times0.005+\frac{1}{1.04}\times\frac{1}{1.03}\times0.995\times0.008+\frac{1}{1.04}\times\frac{1}{1.03}\times\frac{1}{1.02}$$

$$\times0.995\times0.992\times0.011$$

$$=0.004807692+0.007430919+0.009937032=0.022175643$$

$$\sum\nolimits_{k=0}^{2}v^{k+1}\cdot\,_{k|}q_{40}^{(1)}=v\cdot q_{40}^{(1)}+v^2\cdot p_{40}^{(\tau)}\cdot q_{41}^{(1)}+v^3\cdot\,_2p_{40}^{(\tau)}\cdot q_{42}^{(1)}$$

$$=\frac{1}{1.04}\times0.002+\frac{1}{1.04}\times\frac{1}{1.03}\times0.995\times0.003+\frac{1}{1.04}\times\frac{1}{1.03}\times\frac{1}{1.02}$$

$$\times0.995\times0.992\times0.004$$

$$=0.001923077+0.002786594+0.003613466=0.008323137$$

$$\therefore\ 0.5\times(0.022175643+0.008323137)=0.01524939$$

(2) $\ddot{a}_{40:\overline{3|}}^{(\tau)}=1+v\cdot p_{40}^{(\tau)}+v^2\cdot\,_2p_{40}^{(\tau)}$

$$=1+\frac{1}{1.04}\times0.995+\frac{1}{1.04}\times\frac{1}{1.03}\times0.995\times0.992=2.878164675$$

$$\therefore\ \pi=\frac{0.01524939}{2.878164675}=0.005298304$$

(3) 1시점 지출의 현가

$$=\Bigg[\Bigg(\frac{1}{1.03}\times0.008+\frac{1}{1.03}\times\frac{1}{1.02}\times0.992\times0.011\Bigg)$$

$$+\Bigg(\frac{1}{1.03}\times0.003+\frac{1}{1.03}\times\frac{1}{1.02}\times0.992\times0.004\Bigg)\Bigg]\times0.5=0.012421473$$

1시점 수입의 현가

$$=\pi\times\Bigg(1+\frac{1}{1.03}\times0.992\Bigg)=0.010401137$$

$\therefore {}_1V = 0.012421473 - 0.010401137 = 0.002020336$

2시점 지출의 현가

$$= \left[\left(\frac{1}{1.02} \times 0.011\right) + \left(\frac{1}{1.02} \times 0.004\right)\right] \times 0.5 = 0.007352941$$

2시점 수입의 현가 $(\pi = 0.005298304)$

$\therefore {}_2V = 0.007352941 - 0.005298304 = 0.002054637$

3년 만기 정기보험이므로 ${}_3V = 0$

문제 26번

 1,716.981

 풀이

뇌졸중=(1), 심근경색=(2)로 정의하면

$$\begin{cases} \text{수입의 현가} = NSP \\ \text{지출의 현가} = 7,000 \times \int_0^\infty {}_tp_{50}^{(\tau)} \times \mu_{50+t}^{(\tau)} \times e^{-\delta t} dt \end{cases}$$

$\mu_{50+t}^{(1)} = 0.005,\ \mu_{50+t}^{(2)} = 0.008,\ \mu_{50+t}^{(\tau)} = 0.005 + 0.008 = 0.013$

${}_tp_{50}^{(\tau)} = e^{-0.013t},\ e^{-\delta t} = e^{-0.04t}$

$$7,000 \times \int_0^\infty e^{-0.013t} \times 0.013 \times e^{-0.04t} dt = 7,000 \times 0.013 \times \int_0^\infty e^{-0.053t} dt$$

$$= 91 \times \left[\frac{1}{-0.053} e^{-0.053t} \Big|_0^\infty\right]$$

$$= 91 \times \frac{1}{0.053} = 1,716.981132$$

$\therefore NSP = 1,716.981132$

문제 27번

 (1) 2/3억

(2) 9,523,809.5원

(3) 4.545억

 풀이

(1) $\overline{A}_{xy} = \int_0^\infty v^t \cdot {}_tp_{xy} \cdot (\mu_{x+t} + \mu_{y+t}) dt = \int_0^\infty e^{-0.03t} \cdot e^{-(0.05+0.03+0.01)t} \cdot (0.08) dt$

$$= (0.08) \cdot \int_0^\infty e^{-0.12t} dt = 0.08 \times \frac{1}{0.12} = \frac{2}{3} \text{억}$$

(2) $\overline{A}_{\overline{xy}} = \overline{A}_x + \overline{A}_y - \overline{A}_{xy}$

$$\overline{A}_x = \int_0^\infty v^t \cdot {}_tp_x \cdot \mu_{x+t}dt = \int_0^\infty e^{-0.03t} \cdot e^{-(0.05+0.01)t} \cdot (0.05)dt$$

$$= (0.05) \cdot \int_0^\infty e^{-0.09t}dt = 0.05 \times \frac{1}{0.09} = \frac{5}{9}억$$

$$\overline{A}_y = \int_0^\infty v^t \cdot {}_tp_y \cdot \mu_{y+t}dt = \int_0^\infty e^{-0.03t} \cdot e^{-(0.03+0.01)t} \cdot (0.03)dt$$

$$= (0.03) \cdot \int_0^\infty e^{-0.07t}dt = 0.03 \times \frac{1}{0.07} = \frac{3}{7}억$$

$$\therefore 0.3억 \times \overline{A}_{\overline{xy}} = 0.3억 \times \left(\overline{A}_x + \overline{A}_y - \overline{A}_{xy}\right) = 0.3 \times \left(\frac{5}{9} + \frac{3}{7} - \frac{2}{3}\right) = 0.095238095$$

(3) $\overline{a}_{xy} = \int_0^\infty v^t \cdot {}_tp_y dt = \int_0^\infty e^{-0.03t} \cdot e^{-0.08t}dt = \frac{1}{0.11}$

$$\therefore 0.5억 \times \overline{a}_{xy} = 0.5 \times \frac{1}{0.11} = 4.545454545억$$

문제 28번

📋 **답** 1,400,000원

✏️ **풀이** --

질병, 재해, 기타원인 보험금 현가 함수를 각각 Z_1, Z_2, Z_3라고 하면

$Z_1 = 1,000 \cdot v^T$

$Z_2 = 2,000 \cdot v^T$

$Z_3 = 3,000 \cdot v^T$

$$E[Z_1] = \int_0^\infty 1,000 \cdot v^t \cdot {}_tp_x^{(\tau)} \cdot \mu_{x+t}^{(1)}dt = \int_0^\infty 1,000 \cdot e^{-0.04t} \cdot e^{-0.06t} \cdot (0.01)dt = 100$$

$$E[Z_2] = \int_0^\infty 2,000 \cdot v^t \cdot {}_tp_x^{(\tau)} \cdot \mu_{x+t}^{(2)}dt = \int_0^\infty 2,000 \cdot e^{-0.04t} \cdot e^{-0.06t} \cdot (0.02)dt = 400$$

$$E[Z_3] = \int_0^\infty 3,000 \cdot v^t \cdot {}_tp_x^{(\tau)} \cdot \mu_{x+t}^{(3)}dt = \int_0^\infty 3,000 \cdot e^{-0.04t} \cdot e^{-0.06t} \cdot (0.03)dt = 900$$

$$\overline{P} = \frac{E[Z_1] + E[Z_2] + E[Z_3]}{\overline{a}_x^\tau} = \frac{1,400}{\int_0^\infty v^t \cdot {}_tp_x^{(\tau)}dt} = \frac{1,400}{\int_0^\infty e^{-0.04t} \cdot e^{-0.06t}dt} = \frac{1,400}{10} = 140$$

$$\therefore \overline{P} = 140만원$$

문제 29번

답 (1) 6,203

(2) 490.092

(3) 1,030.082

풀이

(1) $NSP = 20,000 \times \int_0^{50} v^t \cdot {}_tp_{50}^{(\tau)} \cdot \mu_{50+t}^{(1)} dt + 10,000 \times \int_0^{50} v^t \cdot {}_tp_{50}^{(\tau)} \cdot \mu_{50+t}^{(2)} dt$

$= 20,000 \times \int_0^{50} e^{-0.04t} \cdot \left[e^{-0.01t} \times \frac{50-t}{50} \right] \cdot (0.01) dt$

$\quad + 10,000 \times \int_0^{50} e^{-0.04t} \cdot \left[e^{-0.01t} \right] (0.02) dt$

$= 20,000 \times \left[0.01 \cdot \int_0^{50} e^{-0.05t} \cdot \left(1 - \frac{t}{50} \right) dt \right] + 10,000 \times \left[0.02 \cdot \int_0^{50} e^{-0.05t} dt \right]$

$= 20,000 \times 0.126568 + 10,000 \times 0.36716 = 6,202.96$

$\therefore NSP = 6,202.96$

(2) $\overline{A}_{50} = \int_0^{50} v^t \cdot {}_tp_{50}^{(\tau)} \cdot \mu_{50+t}^{(1)} dt + \int_0^{50} v^t \cdot {}_tp_{50}^{(\tau)} \cdot \mu_{50+t}^{(2)} dt$

$\quad = 0.126568 + 0.36716 = 0.493728$

$\overline{a}_{50} = \frac{1 - \overline{A}_{50}}{\delta} = \frac{1 - (0.126568 + 0.36716)}{0.04} = 12.6568$

$\pi = \frac{NSP}{\overline{a}_{50}} = \frac{6,203}{12.6568} = 490.092282$

(3) ${}_{10}V = $ 장래지출현가 $-$ 장래수입현가

장래지출현가

$= 20,000 \times \int_0^{40} v^t \cdot {}_tp_{60}^{(\tau)} \cdot \mu_{60+t}^{(1)} dt + 10,000 \times \int_0^{40} v^t \cdot {}_tp_{60}^{(\tau)} \cdot \mu_{60+t}^{(2)} dt$

$= 20,000 \times \int_0^{40} e^{-0.04t} \cdot \left[e^{-0.01t} \times \frac{40-t}{40} \right] \cdot (0.01) dt$

$\quad + 10,000 \times \int_0^{40} e^{-0.04t} \cdot \left[e^{-0.01t} \right] (0.025) dt$

$= 20,000 \times \left[0.01 \cdot \int_0^{40} e^{-0.05t} \cdot \left(1 - \frac{t}{40} \right) dt \right]$

$\quad + 10,000 \times \left[0.025 \cdot \int_0^{40} e^{-0.05t} dt \right]$

$= 20,000 \times 0.11353 + 10,000 \times 0.43235 = 6,594.1$

$$\overline{A}_{60} = \int_0^{40} v^t \cdot {}_t p_{60}^{(\tau)} \cdot \mu_{60+t}^{(1)} dt + \int_0^{40} v^t \cdot {}_t p_{60}^{(\tau)} \cdot \mu_{60+t}^{(2)} dt = 0.11353 + 0.43235$$

$$= 0.54588$$

$$\overline{a}_{60} = \frac{1 - \overline{A}_{60}}{\delta} = \frac{1 - (0.11353 + 0.43235)}{0.04} = 11.353$$

$$\therefore {}_{10}V = 6{,}594.1 - 490.092282 \times 11.353 = 1{,}030.082318$$

9장 ▶ 사업비를 고려한 모형

문제 1번

📋 답 11,794,382.97

 풀이 --

연납 영업보험료를 P라 하면 P에 대한 관계식은 다음과 같다. (만원 단위로 나타낸다.)

$$P \cdot \ddot{a}_{x\,:\,\overline{5|}} = 5{,}000 \cdot A_{x\,:\,\overline{5|}}^{1} + 180 \cdot \ddot{a}_{x\,:\,\overline{5|}} + 120$$

$$\ddot{a}_{x\,:\,\overline{5|}} = \sum_{k=0}^{4} v^k \cdot {}_k p_x = \sum_{k=0}^{4} \left(\frac{0.8}{1.04}\right)^k = \frac{1 - \left(\frac{10}{13}\right)^5}{1 - \frac{10}{13}} = 3.166240678$$

$$A_{x\,:\,\overline{5|}}^{1} = \sum_{k=0}^{4} v^{k+1} \cdot {}_{k|}q_x = \sum_{k=0}^{4} \left(\frac{1}{1.04}\right)^{k+1} \cdot 0.2 \cdot (0.8)^k = \frac{0.2v \cdot \left(1 - (0.8v)^5\right)}{1 - 0.8v}$$

$$= 0.608892438$$

$$P = \frac{5{,}000 \cdot A_{x\,:\,\overline{5|}}^{1} + 120}{\ddot{a}_{x\,:\,\overline{5|}}} + 180 = 1{,}179.438297(만원)$$

$$\therefore P = 11{,}794{,}382.97(원)$$

문제 2번

📋 답 41.757

 풀이 --

순보험료를 P라 했을 때 P에 대한 관계식을 세우면 다음과 같다. (만원 단위로 계산한다.)

$$P \cdot \ddot{a}_{x:\overline{10|}} = 10,000 \cdot A_{x:\overline{10|}}^1$$

$$\ddot{a}_{x:\overline{2|}} = 1 + v \cdot p_x = 1 + \frac{1}{1.03} e^{-0.01} = 1.961213431$$

$$\ddot{a}_{x:\overline{10|}} = \sum_{k=0}^{9} v^k \cdot {_k p_x} = \sum_{k=0}^{9} \left(\frac{1}{1.03}\right)^k \cdot e^{-0.01k} = \sum_{k=0}^{9} (0.9612134308)^k$$

$$= \frac{1 - (0.9612134308)^{10}}{1 - 0.9612134308} = 8.423430848$$

$$A_{x:\overline{10|}}^1 = 1 - d \cdot \ddot{a}_{x:\overline{10|}} - A_{x:\overline{10|}}{}^1 = 0.08137333721$$

위의 값들을 대입해서 계산하면 P는 다음과 같다.

$$P = 96.60355582$$

예정사업비를 부과했을 때 영업보험료를 P^*라 하여 각 방법대로 계산해보자.

A방법으로 계산한 P^*는 다음과 같다. (만원 단위로 나타낸다.)

$$P^* \cdot \ddot{a}_{x:\overline{10|}} = 10,000 \cdot A_{x:\overline{10|}}^1 + 0.05P \cdot \ddot{a}_{x:\overline{10|}} + 25 \cdot \ddot{a}_{x:\overline{10|}} + 0.1P \cdot \ddot{a}_{x:\overline{2|}} + 25 \cdot \ddot{a}_{x:\overline{2|}}$$

위에서 구한 순보험료를 대입하여 계산한 결과는 아래와 같다.

$$P^* \cdot \ddot{a}_{x:\overline{10|}} = 1,132.982167$$

B방법으로 계산한 P^*는 다음과 같다. (만원 단위로 나타낸다.)

$$P^* \cdot \ddot{a}_{x:\overline{10|}} = 10,000 \cdot A_{x:\overline{10|}}^1 + 0.01 \cdot k \cdot P \cdot \ddot{a}_{x:\overline{10|}} + (0.2P - 0.01 \cdot k \cdot P)$$

두 방법 A, B에 의하여 산출되는 영업보험료가 같아지려면 k 관계식은 다음과 같다.

$$P^* \cdot \ddot{a}_{x:\overline{10|}} = 833.0540833 + 7.171298163k = 1,132.982167$$

$$k = 41.75667454$$

문제 3번

답 12.641

풀이

연간 보험료 P를 연속적으로 납입한다고 할 때, P의 관계식은 다음과 같다.

$$P \cdot \bar{a}_{50:\overline{10|}} = 100 \cdot \overline{A}_{50} + (D\bar{a})_{50:\overline{10|}}$$

$$\bar{a}_{50:\overline{10|}} = \int_0^{10} e^{-0.03t} \cdot e^{-0.03t} dt = \left[\frac{e^{-0.06t}}{-0.06}\right]_0^{10} = \frac{1 - e^{-0.6}}{0.06} = 7.519806065$$

$$\overline{A}_{50} = \frac{\mu}{\mu + \delta} = \frac{0.03}{0.06} = 0.5$$

$$(D\bar{a})_{50:\overline{10|}} = \sum_{k=1}^{10} \bar{a}_{50:\overline{k|}} = \sum_{k=1}^{10} \left(\int_0^k e^{-0.06t} dt\right) = \sum_{k=1}^{10} \left[\frac{e^{-0.06t}}{-0.06}\right]_0^k$$

$$= \sum_{k=1}^{10} \frac{1-e^{-0.06k}}{0.06} = \frac{1}{0.06}\left[10 - \frac{e^{-0.06}(1-e^{-0.6})}{1-e^{-0.06}}\right] = 45.05887184$$

$$\therefore P = 12.64113343$$

문제 4번

 (1) 3,326,511.193

(2) 10,351,172.68

(3) 해설 참조

풀이 ··

(1) 영업보험료를 P라 하면 P에 대한 관계식은 다음과 같다. (만원 단위로 계산)

$$P \cdot \bar{a}_{40:\overline{10|}} = 10{,}000 \cdot \bar{A}_{40} + 0.08 \cdot P \cdot \bar{a}_{40:\overline{10|}}$$

$$\bar{a}_{40:\overline{10|}} = \int_0^{10} v^t \cdot {}_tp_{40}\,dt = \int_0^{10} e^{-0.04t} \cdot e^{-\frac{t}{80}}\,dt = \int_0^{10} e^{-0.0525t}\,dt = \left[\frac{e^{-0.0525t}}{-0.0525}\right]_0^{10}$$

$$= \frac{1-e^{-0.525}}{0.0525} = 7.779897822$$

$$\bar{A}_{40} = \int_0^{\infty} v^t \cdot {}_tp_x \cdot \mu_{x+t}\,dt = \int_0^{\infty} e^{-0.04t} \cdot e^{-\frac{t}{80}} \cdot \frac{1}{80}\,dt = \left[\frac{e^{-0.0525t}}{-4.2}\right]_0^{\infty} = \frac{1}{4.2}$$

$$\therefore P = 3{,}326{,}511.193(원)$$

(2) $${}_5V = 100{,}000{,}000 \cdot \bar{A}_{45} + 0.08 \cdot P \cdot \bar{a}_{45:\overline{5|}} - P \cdot \bar{a}_{45:\overline{5|}}$$

$$\bar{a}_{45:\overline{5|}} = \int_0^5 v^t \cdot {}_tp_{45}\,dt = \left[\frac{e^{-0.0525t}}{-0.0525}\right]_0^5 = 4.39759306$$

$$\bar{A}_{45} = \bar{A}_{40} = \frac{1}{4.2}$$

$$\therefore {}_5V = 10{,}351{,}172.68$$

(3) $T(40) = t$라 할 때 손실 L은 보험료 납입이 끝나는 10년 후를 기점으로 달라진다.

$t < 10$을 만족할 때 L은 다음과 같다.

$$L = 100{,}000{,}000 \cdot v^t + 0.08 \cdot P \cdot \bar{a}_{\overline{t|}} - P \cdot \bar{a}_{\overline{t|}}$$

$$= 100{,}000{,}000 \cdot v^t - 0.92 \cdot P \cdot \frac{1-v^t}{\delta}$$

$$= 176{,}509{,}757.4 \cdot v^t - 76{,}509{,}757.44$$

$t \geq 10$을 만족할 때 L은 다음과 같다.

$$L = 100{,}000{,}000 \cdot v^t + 0.08 \cdot P \cdot \bar{a}_{\overline{10|}} - P \cdot \bar{a}_{\overline{10|}}$$

$$= 100{,}000{,}000 \cdot v^t - 0.92 \cdot P \cdot \frac{1 - v^{10}}{\delta}$$

$$= 100{,}000{,}000 \cdot v^t - 25{,}223{,}733.31$$

$$\therefore L = \begin{cases} 176{,}509{,}757.4 \cdot v^t - 76{,}509{,}757.44, & (t < 10) \\ 100{,}000{,}000 \cdot v^t - 25{,}223{,}733.31, & (t \geq 10) \end{cases}$$

문제 5번

답 5,893,082.442

풀이 --

연납 영업보험료를 P라 할 때 P의 관계식은 다음과 같다. (만원단위로 계산)

$$P \cdot \ddot{a}_{x:\overline{10|}} = 5{,}000 \cdot A_{x:\overline{10|}} + 0.05 \cdot P \cdot \ddot{a}_{x:\overline{10|}} + 0.02 \cdot P \cdot \ddot{a}_{x:\overline{5|}} + 0.03 \cdot P$$

$$\ddot{a}_{x:\overline{10|}} = \sum_{t=0}^{9} e^{-0.03t} \cdot e^{-0.05t} = \frac{1 - e^{-0.8}}{1 - e^{-0.08}} = 7.162394215$$

$$A_{x:\overline{10|}} = 1 - d \cdot \ddot{a}_{x:\overline{10|}} = 0.7883192605$$

$$\ddot{a}_{x:\overline{5|}} = \sum_{t=0}^{4} e^{-0.03t} \cdot e^{-0.05t} = \frac{1 - e^{-0.4}}{1 - e^{-0.08}} = 4.288037033$$

$$\left(0.95 \cdot \ddot{a}_{x:\overline{10|}} - 0.02 \cdot \ddot{a}_{x:\overline{5|}} - 0.03 \right) \cdot P = 5{,}000 \cdot A_{x:\overline{10|}}$$

$$P = 589.3082442 (만원)$$

$$\therefore P = 5{,}893{,}082.442 (원)$$

문제 6번

답 1,229,277.381

풀이 --

$$P \cdot \ddot{a}_{35:\overline{20|}} = 10{,}000 \cdot A_{35} + 0.1 \cdot P \cdot \ddot{a}_{35:\overline{20|}} + 0.05 \cdot P \cdot \ddot{a}_{35:\overline{5|}}$$

$$\left(0.9 \cdot \ddot{a}_{35:\overline{20|}} - 0.05 \cdot \ddot{a}_{35:\overline{5|}} \right) \cdot P = 10{,}000 \cdot A_{35}$$

$$\ddot{a}_{35:\overline{20|}} = \ddot{a}_{35} - {}_{20}E_{35} \cdot \ddot{a}_{55} = 11.8817212$$

$$\ddot{a}_{35:\overline{5|}} = \ddot{a}_{35} - {}_{5}E_{35} \cdot \ddot{a}_{40} = 4.447133082$$

$$10{,}000 \cdot A_{35} = 1287.2$$

$$P = 122.9277381 (만원)$$

$$\therefore P = 1{,}229{,}277.381 (원)$$

문제 7번

답 209,240.978

풀이

납입하는 보험료의 연액을 P로 계산하면 관계식은 다음과 같다. (만원 단위로 계산)

$$P \cdot \ddot{a}^{(12)}_{40:\overline{30|}} = 30,000 \cdot \overline{A}^{\,1}_{40:\overline{30|}} + 0.05 \cdot P \cdot \ddot{a}^{(12)}_{40:\overline{30|}} + 0.05 \cdot P \cdot \ddot{a}^{(12)}_{40:\overline{10|}} + 10 \cdot \ddot{a}^{(12)}_{40:\overline{10|}}$$

$$\alpha(12) = \frac{id}{i^{(12)}d^{(12)}} = 1.00028$$

$$\beta(12) = \frac{i - i^{(12)}}{i^{(12)}d^{(12)}} = 0.46812$$

$$\ddot{a}_{40:\overline{30|}} = \ddot{a}_{40} - {}_{30}E_{40} \cdot \ddot{a}_{70} = 13.75664642$$

$$\ddot{a}_{40:\overline{10|}} = \ddot{a}_{40} - {}_{10}E_{40} \cdot \ddot{a}_{50} = 7.696706444$$

$$\ddot{a}^{(12)}_{40:\overline{30|}} = \alpha(12) \cdot \ddot{a}_{40:\overline{30|}} - \beta(12) \cdot ({}_{0}E_{40} - {}_{30}E_{40}) = 13.35028097$$

$$\ddot{a}^{(12)}_{40:\overline{10|}} = \alpha(12) \cdot \ddot{a}_{40:\overline{10|}} - \beta(12) \cdot ({}_{0}E_{40} - {}_{10}E_{40}) = 7.481967482$$

$$\overline{A}^{\,1}_{40:\overline{30|}} = \overline{A}_{40} - {}_{30}E_{40} \cdot \overline{A}_{70} = \frac{i}{\delta}\left(A_{40} - {}_{30}E_{40} \cdot A_{70}\right) = \frac{0.06}{\ln(1.06)} \cdot (0.09762482108)$$
$$= 0.1005251249$$

$$\left(0.95 \cdot \ddot{a}^{(12)}_{40:\overline{30|}} - 0.05 \cdot \ddot{a}^{(12)}_{40:\overline{10|}}\right) \cdot P = 30,000 \cdot \overline{A}^{\,1}_{40:\overline{30|}} + 10 \cdot \ddot{a}^{(12)}_{40:\overline{10|}}$$

$$12.30866855 \cdot P = 3,090.573421$$

$$P = 251.0891741(\text{만원})$$

$$P = 2,510,891.741(\text{원})$$

$$\therefore \text{월납 보험료: } \frac{P}{12} = 209,240.9784(\text{원})$$

문제 8번

 답 2,921,766.886

풀이

매월 받게 되는 연금액의 연액을 P라고 가정했을 때, P의 관계식은 다음과 같다. (만원 단위 계산)

$$3,000 \cdot a_{50:\overline{10|}} = P \cdot {}_{10|}\ddot{a}^{(12)}_{50} + 300 \cdot a_{50:\overline{10|}}$$

$$a_{50:\overline{10|}} = a_{50} - {}_{10}E_{50} \cdot a_{60} = v \cdot p_{50} \cdot \ddot{a}_{51} - {}_{10}E_{50} \cdot v \cdot p_{60} \cdot \ddot{a}_{61} = 7.084512687$$

$${}_{10|}\ddot{a}^{(12)}_{50} = \alpha(12) \cdot {}_{10|}\ddot{a}_{50} - \beta(12) \cdot ({}_{10}E_{50} - {}_{\infty}E_{50})$$
$$= \alpha(12) \cdot {}_{10}E_{50} \cdot \ddot{a}_{60} - \beta(12) \cdot {}_{10}E_{50} = 5.455655488$$

$$2,700 \cdot a_{50:\overline{10|}} = P \cdot {}_{10|}\ddot{a}^{(12)}_{50}$$

$$P = 3,506.120263$$

$$\therefore \text{ 매월 받게 되는 연금액: } \frac{P}{12} = 292.1766886(\text{만원})$$

문제 9번

답   1,607,399.897

풀이

수입: $P\ddot{a}^{(12)}_{40:\overline{20|}}$

지출: $1 \cdot A^{(12)}_{40} + 0.1 P\ddot{a}^{(12)}_{40:\overline{10|}} + 0.0015 {}_{10|}\ddot{a}^{(12)}_{40:\overline{10|}}$(단위는 억원)

$0.0015\ddot{a}^{(12)}_{40:\overline{10|}} + 0.0015{}_{10|}\ddot{a}^{(12)}_{40:\overline{10|}} = 0.0015\ddot{a}^{(12)}_{40:\overline{20|}}$이므로 지출 식은

$A^{(12)}_{40} + 0.1 P\ddot{a}^{(12)}_{40:\overline{10|}} + 0.0015\ddot{a}^{(12)}_{40:\overline{20|}} - 0.0015\ddot{a}^{(12)}_{40:\overline{10|}}$가 된다.

UDD를 가정했으므로

$\ddot{a}^{(12)}_{40:\overline{10|}} = \alpha(12)\ddot{a}_{40:\overline{10|}} - \beta(12)\left(1 - {}_{10}E_{40}\right)$이 된다.

$\ddot{a}_{40:\overline{10|}} = \ddot{a}_{40} - {}_{10}E_{40}\ddot{a}_{50} = 14.8166 - (0.53667)(13.2668) = 7.6967$이므로

$\ddot{a}^{(12)}_{40:\overline{10|}} = (1.00028)(7.6967) - (0.46812)(1 - 0.53667) = 7.4820$이 된다.

$\ddot{a}^{(12)}_{40:\overline{20|}} = \alpha(12)\ddot{a}_{40:\overline{20|}} - \beta(12)\left(1 - {}_{20}E_{40}\right)$

$\ddot{a}_{40:\overline{20|}} = \ddot{a}_{40} - {}_{20}E_{40}\ddot{a}_{60} = 11.7612$이므로

$\ddot{a}^{(12)}_{40:\overline{20|}} = (1.00028)(11.7612) - (0.46812)(1 - 0.27414) = 11.4247$

$A^{(12)}_{40} = \dfrac{i}{i^{(12)}} A_{40} = (1.02721)(0.16132) = 0.1657$

수지상등 원칙에 의해,

$11.4247P = 0.1657 + 0.1 \times 7.4820P + 0.0015(11.4247 - 7.4820)$

$\rightarrow \therefore P = 0.01607399897$억원 $= 1,607,399.897$원

문제 10번

답   45,758,913.18

풀이

수입: $P\bar{a}_{50:\overline{20|}}$

지출: $3{,}000\bar{a}_{25} + 0.05P\bar{a}_{50:\overline{20|}} + 15\bar{a}_{25}$(단위는 만원)

$\bar{a}_{25} = \dfrac{1 - \bar{A}_{25}}{\delta} = \dfrac{1 - 0.0841}{\ln(1.06)} = 15.7189$

$$\overline{A}_{25} = \frac{i}{\delta} A_{25} = \frac{0.06}{\ln(1.06)} \times 0.08165 = 0.0841$$

$\overline{a}_{50:\overline{20|}} = \dfrac{1 - \overline{A}_{50:\overline{20|}}}{\delta}$ 을 구하기 위해 $\overline{A}_{50:\overline{20|}}$ 를 먼저 구해야 한다.

$\overline{A}_{50:\overline{20|}} = \dfrac{0.06}{\ln(1.06)} A^1_{50:\overline{20|}} + {}_{20}E_{50}$ 이다. 여기서,

$$A^1_{50:\overline{20|}} = A_{50} - {}_{20}E_{50} A_{70} = 0.24905 - (0.23047)(0.51495) = 0.1304$$

$${}_{20}E_{50} = 0.23047 \text{이다.}$$

그러므로 $\overline{A}_{50:\overline{20|}} = \dfrac{0.06}{\ln(1.06)} A^1_{50:\overline{20|}} + {}_{20}E_{50} = 0.3647$ 이다.

$$\overline{a}_{50:\overline{20|}} = \frac{1 - \overline{A}_{50:\overline{20|}}}{\delta} = \frac{1 - 0.3647}{\ln(1.06)} = 10.9021$$

수지상등 원칙에 의해,

$$0.95 \times 10.9021 P = 3015 \times 15.7189$$

$$\therefore P = 4{,}575.8913 \text{만원} = 45{,}758{,}913.18 \text{원}$$

문제 11번

답 (1) 824.779

(2) ${}_1V = 535.357$, ${}_2V = 1{,}243.234$, ${}_3V = 2{,}000$

(3) $(AS)_1 = 2{,}629.772$, $(AS)_2 = 3{,}435.676$, $(AS)_3 = 2{,}296.213$

풀이

(1) 수입: $P\ddot{a}_{50:\overline{3|}}$

지출:

$$5{,}000\overline{A}^1_{50:\overline{3|}} + 2{,}000\,{}_3E_{50} + 0.1P + 0.05Pvp_{50} + 0.03Pv^2\,{}_2p_{50} + 100\ddot{a}_{50:\overline{3|}} + 100$$

$$\ddot{a}_{50:\overline{3|}} = 1 + vp_{50} + v^2\,{}_2p_{50} = 1 + \frac{1}{1.04}(0.9940) + \left(\frac{1}{1.04}\right)^2(0.9940)(0.9935)$$

$$= 2.868804$$

$$A^1_{50:\overline{3|}} = 1 - d\ddot{a}_{50:\overline{3|}} - A_{50:\frac{1}{3|}} = 1 - \frac{0.04}{1.04}(2.8688) - v^3 \cdot {}_3p_{50} = 0.01788821851$$

$$\overline{A}^1_{50:\overline{3|}} = \frac{i}{\delta} A^1_{50:\overline{3|}} = 0.0182436443$$

$${}_3E_{50} = \left(\frac{1}{1.04}\right)^3(0.9940)(0.9935)(0.9930) = 0.871773145$$

수입과 지출이 같으므로 P에 대한 관계식은 다음과 같다.

$$2.8688P = 5,000(0.0182) + 2,000(0.8718) + 0.1P + 0.05\left(\frac{1}{1.04}\right)(0.9940)P$$

$$+ 0.03\left(\frac{1}{1.04}\right)^2(0.9940)(0.9935)P + 100(2.8688) + 100$$

$$\therefore\ P = 824.778855017$$

(2) $(1+i)({}_tV + P - r_{t+1}P - E_{t+1}) = b_{t+1}q_{x+t} + p_{x+t\ t+1}V$

위의 책임준비금 점화식을 이용하여 제2 보험연도 책임준비금과 제3 보험연도 책임준비금 사이의 관계식을 구하면 다음과 같다.

$$(1.04)\left[{}_2V + 824.7789 - 0.03(824.7789) - 100\right] = 5,000(0.0070) + 0.9930\,{}_3V$$

만기시 생존보험금이 2,000이므로 ${}_3V = 2,000$을 대입하면 다음과 같다.

$$\therefore\ {}_2V = 1,243.233698$$

$$(1.04)\left[{}_1V + 0.95(824.7789) - 100\right] = 5,000(0.0065) + (0.9935)(1,243.2337)$$

$$\therefore\ {}_1V = 535.3568515$$

(3) $(AS)_{t+1} = \dfrac{(1+i_{t+1})\left[(AS)_t + P - (r_{t+1}P + E_{t+1})\right] - q_{t+1}b_{t+1}}{p_{t+1}}$

위의 자산지분 관계식을 이용하여 각 보험연도말 자산지분을 구하면 다음과 같다.

초기 투입자본이 2,000이라고 하였으므로 초기 자산지분은 2,000이다.

$$(AS)_0 = 2,000$$

$$(AS)_1 = \frac{(1.04)\left[2,000 + 824.7789 - (0.1 \times 824.7789) - 200\right] - (0.0060)(5,000)}{0.9940}$$

$$= 2,629.771638$$

$$(AS)_2 = \frac{(1.04)\left[2,629.771638 + 824.7789 - (0.05 \times 824.7789) - 100\right] - (0.0065)(5,000)}{0.9935}$$

$$= 3,435.675906$$

$$(AS)_3 = \frac{(1.04)\left[3,435.675906 + 824.7789 - (0.03 \times 824.7789) - 100\right] - (0.0070)(5000) - (0.9930)(2000)}{0.9930}$$

$$= 2,296.213344$$

문제 12번

답 (1) 107.814%

(2) −88,799.656,

(3) 1차년도 이익: 5.717, 2차년도 이익: 2.996

풀이

(순보험료)

(1) 수입: $P\ddot{a}_{x:\overline{5|}}$

지출: $10,000A^1_{x:\overline{5|}} \times 100,000 = 1,000,000,000 \times A^1_{x:\overline{5|}}$

$\ddot{a}_{x:\overline{5|}} = 1 + p_x v + {}_2p_x v^2 + {}_3p_x v^3 + {}_4p_x v^4 = \dfrac{1-(0.9980v)^5}{1-0.9980v} = 4.4483$

$A^1_{x:\overline{5|}} = 0.002v + (0.9980)(0.002)v^2 + (0.9980)^2(0.002)v^3 + (0.9980)^3(0.002)v^4$
$\qquad + (0.9980)^4(0.002)v^5 = 0.008393$

순보험료: $P = (1,000,000,000 \times 0.008393) \div 4.4483 = 1,886,788.211$원

(영업보험료)

수입: $P^G\ddot{a}_{x:\overline{5|}}$

지출:

$1,000,000,000A^1_{x:\overline{5|}} + 0.15P^G + 0.05{}_{1|}\ddot{a}_{x:\overline{4|}}P^G$

$= 1,000,000,000A^1_{x:\overline{5|}} + 0.1P^G + 0.05\ddot{a}_{x:\overline{5|}}P^G$

$\left(0.95\ddot{a}_{x:\overline{5|}} - 0.1\right)P^G = 1,000,000,000A^1_{x:\overline{5|}}$

영업보험료: $P^G = 2,034,230.232$원

$\therefore \dfrac{P^G}{P} = 1.078144 \rightarrow$ 영업보험료는 순보험료의 107.8144%이다.

(2) $(1+i)\left({}_tV + P - r_{t+1}P - E_{t+1}\right) = b_{t+1}q_{x+t} + p_{x+t}\,{}_{t+1}V$

0시점의 책임준비금은 0이므로 ${}_0V = 0$이다.

$(1.06)\left(0 + 2034230.232 - 0.15 \times 2034230.232 - 0\right)$
$\quad = 1,000,000,000(0.002) + (0.9980)\,{}_1V$

$\rightarrow {}_1V = -167,493.5481$원

$(1.06)\left(-167493.5481 + 2034230.232 - 0.05 \times 2034230.232 - 0\right)$
$\quad = 1,000,000,000(0.002) + (0.9980)\,{}_2V$

$\rightarrow {}_2V = -129,331.9813$원

$(1.06)\left(-129331.9813 + 2034230.232 - 0.05 \times 2034230.232 - 0\right)$
$\quad = 1,000,000,000(0.002) + (0.9980)\,{}_2V$

$\rightarrow {}_3V = -88,799.6559$원

(3) 1건당 이익을 계산하면 1차년도 가정에 따른 이익:

$20.34230232(1.06) - 0.15(20.34230232)(1.06) - 10,000 \times 0.002 = -1.6716$

1차년도 경험치에 따른 이익:

$20.34230232(1.07) - 0.125(20.34230232)(1.07) - 10,000 \times 0.0015 = 4.0455$

2차년도 가정에 따른 이익:

$20.34230232(1.06) - 0.05(20.34230232)(1.06) - 10,000 \times 0.002 = 0.4844$

2차년도 경험치에 따른 이익:

$20.34230232(1.08) - 0.045(20.34230232)(1.08) - 10,000 \times 0.00175 = 3.4808$

1차년도 가정과 경험치 차이에 따른 이익: 5.7171

2차년도 가정과 경험치 차이에 따른 이익: 2.9964

문제 13번

 답 5,554,938

여기서 40세 사람을 x, 50세 사람을 y라고 하자.

$$_tp_x = \frac{60-t}{60}, \ _tp_y = \frac{50-t}{50}, \ _tq_x = \frac{t}{60}, \ _tq_y = \frac{t}{50}, \ \mu_x(t) = \frac{1}{60-t}, \ \mu_y(t) = \frac{1}{50-t}$$

$$\overline{A}_{xy} = \int_0^{50} v^t \, _tp_x \, _tp_y \{\mu_x(t) + \mu_y(t)\} dt$$

$$\ddot{a}_{xy:\overline{n}|} = \sum_{t=0}^{n-1} v^t \, _tp_x \, _tp_y$$

수입: $P\ddot{a}_{xy:\overline{20}|}$

지출: $1 \cdot \overline{A}_{xy} + 0.07\ddot{a}_{xy:\overline{5}|}P + 0.03 \, _{5|}\ddot{a}_{xy:\overline{15}|} \cdot P = \overline{A}_{xy} + 0.04\ddot{a}_{xy:\overline{5}|}P + 0.03\ddot{a}_{xy:\overline{20}|}P$

$$\overline{A}_{xy} = \int_0^{50} e^{-0.04t} \frac{60-t}{60} \frac{50-t}{50} \left\{ \frac{1}{60-t} + \frac{1}{50-t} \right\} dt = \int_0^{50} e^{-0.04t} \frac{110-2t}{3,000} dt$$

$$= \frac{1}{3,000} \left[110 \int_0^{50} e^{-0.04t} dt - 2 \int_0^{50} te^{-0.04t} dt \right]$$

$$= \frac{1}{3,000} \left[110 \int_0^{50} e^{-0.04t} dt - 2 \int_0^{50} te^{-0.04t} dt \right]$$

$$= \frac{1}{3,000} \left[60 \int_0^{50} e^{-0.04t} dt - 2 \left[-25te^{-0.04t} \right]_0^{50} \right] = 0.5451$$

$$\ddot{a}_{xy:\overline{5}|} = \sum_{t=0}^{4} e^{-0.04t} \frac{(60-t)}{60} \frac{(50-t)}{50} dt = 4.30626$$

$$\ddot{a}_{xy:\overline{20}|} = \sum_{t=0}^{19} e^{-0.04t} \frac{(60-t)}{60} \frac{(50-t)}{50} dt = 10.29396$$

수지상등 원칙에 의해,

$10.29396P = 0.5451 + 0.04(4.30626)P + 0.03(10.29396)P$

$$\therefore P = 0.0554938(억원) = 5,554,938원$$

문제 14번

 답 2,231.952

풀이

수입: $P\ddot{a}_{x:\overline{3}|}$

지출:

$$30,000\overline{A}{}^{1}_{x:\overline{3}|} + 5,000\,_{3}E_{x} + 0.1P + 0.05\,_{1|}\ddot{a}_{x:\overline{1}|}P + 0.04\,_{2|}\ddot{a}_{x:\overline{1}|}P + 0.8P(0.99)(0.1)v$$

$$\qquad + 2(0.8)P(0.99)(0.9)(0.98)(0.05)v^2 + 3(0.8)P(0.99)(0.9)(0.98)(0.95)(0.96)\times 0 \times v^3$$

$$= 30,000\overline{A}{}^{1}_{x:\overline{3}|} + 5,000\,_{3}E_{x} + 0.05P + 0.01\ddot{a}_{x:\overline{2}|}P + 0.04\ddot{a}_{x:\overline{3}|}P + 0.8P(0.99)(0.1)v$$

$$\qquad + 2(0.8)P(0.99)(0.9)(0.98)(0.05)v^2$$

$$\ddot{a}_{x:\overline{2}|} = 1 + (0.99)(0.9)\left(\frac{1}{1.05}\right) = 1.8486$$

$$\ddot{a}_{x:\overline{3}|} = 1.8486 + (0.99)(0.9)(0.98)(0.95)\left(\frac{1}{1.05}\right)^{2} = 2.6010$$

$$A^{1}_{x:\overline{3}|} = 0.01v + (0.99)(0.9)(0.02)v^2 + (0.99)(0.9)(0.98)(0.95)(0.04)v^3 = 0.0543$$

$$\overline{A}{}^{1}_{x:\overline{3}|} = \frac{i}{\delta}A^{1}_{x:\overline{3}|} = \frac{0.05}{\ln(1.05)}\times 0.0543 = 0.0557$$

$$_{3}E_{x} = (0.99)(0.9)(0.98)(0.95)(0.96)v^3 = 0.6879$$

수지상등 원칙에 의해,

$$2.6010P = 30,000(0.0557) + 5,000(0.6879) + 0.05P + 0.01(1.8486)P + 0.04(2.6010)P$$

$$\qquad + (0.8)(0.99)(0.1)\left(\frac{1}{1.05}\right)P + 2(0.8)(0.99)(0.9)(0.98)(0.05)\left(\frac{1}{1.05}\right)^{2}P$$

$$\therefore P = 2,231.952$$

문제 15번

답 575.061

풀이

수입: $P\overline{a}_{50:\overline{10}|}$

지출: $7,000\overline{A}_{50} + 0.05\overline{a}_{50:\overline{10}|}P + 500\overline{a}_{50:\overline{1}|} + 300\,_{1|}\overline{a}_{50:\overline{9}|}$

$$\qquad = 7,000\overline{A}_{50} + 0.05\overline{a}_{50:\overline{10}|}P + 200\overline{a}_{50:\overline{1}|} + 300\overline{a}_{50:\overline{10}|}$$

$$\mu^{(\tau)}_{x}(t) = 0.005 + 0.008 = 0.013$$

$$\overline{A}_{50} = \frac{\mu}{\mu + \delta} = \frac{0.013}{0.013 + 0.04} = 0.2453$$

$${}_t p_x^{(\tau)} = e^{-\int_0^t \mu_x^{(\tau)}(s)ds} = e^{-0.013t}$$

$$v^t = e^{-\delta t} = e^{-0.04t}$$

$$\overline{a}_{50:\overline{1}|} = \int_0^1 v^t \, {}_t p_{50}^{(\tau)} = \int_0^1 e^{-0.04t} e^{-0.013t} dt = \int_0^1 e^{-0.053t} dt = 0.9740$$

$$\overline{a}_{50:\overline{10}|} = \int_0^{10} v^t \, {}_t p_{50}^{(\tau)} dt = \int_0^{10} e^{-0.053t} dt = 7.7622$$

$$7.7622P = 7,000(0.2453) + 0.05(7.7622)P + 200(0.9740) + 300(7.7622)$$

$$7.3741P = 4,240.5600$$

$$\therefore P = 575.0614$$

10장 다중상태모형의 적용

문제 1번

답 (1) 해설 참조

(2) 해설 참조

풀이

(1) 상태 집합은 A={건강 상태, 질병 & 장애 상태, 퇴직 상태, 사망 상태} 다음과 같이 구성되어 있다. 그리고 위의 확률과정은 $\Pr[X(t+s) \in A \,|\, X(t)$와 $X(u), \; u < t] = \Pr[X(t+s) \in A \,|\, X(t)], \; s > 0$와 같은 정의를 만족함을 확인할 수 있다.

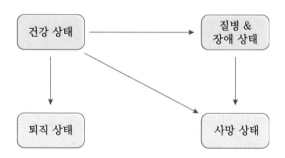

(2) 상태 집합은 A={건강 상태, 질병 1 상태, 질병 2 상태, 질병 3 상태, 사망 상

태}와 같이 구성되어 있다. 그리고 이는 본문을 통해서 다음의 확률 과정이
$\Pr[X(t+s) \in A \mid X(t)$와 $X(u), \ u < t] = \Pr[X(t+s) \in A \mid X(t)], \ s > 0$와 같
은 정의를 만족함을 확인할 수 있다.

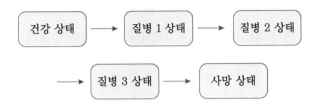

문제 2번

답 (1) $\begin{bmatrix} 0.65 & 0.35 \\ 0.25 & 0.75 \end{bmatrix}$

(2) 59.4%

(3) 31.64%

(1) 연간 전이 행렬을 P라고 정의하면 다음과 같이 정의된다.

$$P = \begin{bmatrix} 0.65 & 0.35 \\ 0.25 & 0.75 \end{bmatrix}$$

(2) 현재 경기가 불황인 경우, 상태 벡터(S)는 다음과 같이 정의된다.

$$S = [0 \ \ 1]$$

그리고 4년 뒤의 상태 벡터는 다음과 같이 변하게 된다.

4년 뒤의 상태 벡터 $= S \cdot P^3$

$$= [0 \ 1] \cdot \begin{bmatrix} 0.65 & 0.35 \\ 0.25 & 0.75 \end{bmatrix} \cdot \begin{bmatrix} 0.65 & 0.35 \\ 0.25 & 0.75 \end{bmatrix} \cdot \begin{bmatrix} 0.65 & 0.35 \\ 0.25 & 0.75 \end{bmatrix}$$

$$= [0 \ 1] \cdot \begin{bmatrix} 0.4316 & 0.5684 \\ 0.4060 & 0.5940 \end{bmatrix}$$

$$= [0.4060 \ \ 0.5940]$$

따라서 4년 후 경기가 불황상태일 확률은 59.4%이다.

(3) 현재 불황 상태에서 4년간 계속 불황상태로 지속될 확률은 다음과 같다.

4년간 불황상태일 확률 $= 0.75^4 = 0.3164062 = 31.64062\%$

4년간 불황상태가 지속되는 확률이 4년 후의 불황 상태일 확률 보다 작게 나
타난다. 다음의 이유는 4년후의 불황상태가 지속되는 확률 속에는 호황상태
에서 불황상태로 전이가 일어난 경우도 포함되지만, 4년간 불황상태일 확률
에는 다음과 같은 확률이 포함되지 않기 때문이다.

문제 3번

 (1) 7,090

    (2) 6,240

풀이 --

위의 문제에 대한 해설에 앞서 문제의 모호함을 없애기 위해서 다음과 같은 가정한다. 등급 하락과 3등급 유지시에는 해당년도 말에 대한 마일리지만 0만큼 지급된다.

(1) 위의 문제를 풀기 위해서는 등급별 모든 이동에 대해서 살펴보고 마일리지별로 정리를 해서 보아야 한다. 모든 마일리지가 지급되는 집합은 $A = \{3,000,\ 5,000,\ 10,000\}$와 같이 구성된다.

전이 행렬은 다음과 같다.

$$P = \begin{bmatrix} 0.7 & 0.3 & 0 \\ 0.2 & 0.6 & 0.2 \\ 0 & 0.3 & 0.7 \end{bmatrix}$$

① 3,000이 지급될 경우(이동경로와 확률)

    $1 \rightarrow 2 \rightarrow 2\ (0.3 \cdot 0.6 = 0.18)$

    총 확률 $= 0.18$

② 5,000이 지급될 경우(이동경로와 확률)

    $1 \rightarrow 1 \rightarrow 2\ (0.7 \cdot 0.3 = 0.21)$

    총 확률 $= 0.21$

③ 10,000이 지급될 경우(이동경로와 확률)

    $1 \rightarrow 1 \rightarrow 1\ (0.7 \times 0.7 = 0.49)$

    $1 \rightarrow 2 \rightarrow 1\ (0.3 \times 0.2 = 0.06)$

    총 확률 $= 0.55$

    기대값 $= 3,000 \times 0.18 + 5,000 \times 0.21 + 10,000 \times 0.55 = 7,090$

(2) 다음의 풀이도 위와 같은 방식으로 진행된다. 마일리지 지급에 대한 집합은 $A = \{10,000,\ 13,000,\ 20,000\}$ 다음과 같다.

① 10,000이 지급될 경우(이동경로와 확률)

    $3 \rightarrow 3 \rightarrow 2\ (0.7 \cdot 0.3 = 0.21)$

    $3 \rightarrow 2 \rightarrow 3\ (0.3 \cdot 0.2 = 0.06)$

    총 확률 $= 0.27$

② 13,000이 지급될 경우(이동경로와 확률)

    $3 \rightarrow 2 \rightarrow 2\ (0.3 \cdot 0.6 = 0.18)$

    총 확률 $= 0.18$

③ 20,000이 지급될 경우(이동경로와 확률)

$3 \rightarrow 2 \rightarrow 1 \ (0.3 \cdot 0.2 = 0.06)$

총 확률 = 0.06

기대값 = $10,000 \cdot 0.27 + 13,000 \cdot 0.18 + 20,000 \cdot 0.06 = 6,240$

문제 4번

답 (1) 80.783%

(2) 19.214%

(3) 80.784%

 풀이 --

(1) 현재 배우자가 없는 40대 여성에 대한 상태벡터는 다음과 같다.

$S = \begin{bmatrix} 1 & 0 \end{bmatrix}$

위의 상태벡터를 통해서 40세 여성의 경우 44세가 되는 시점에서 상태벡터는 다음과 같이 계산된다.

44세가 되는 시점에서 상태벡터

$= \begin{bmatrix} 1 & 0 \end{bmatrix} \cdot \begin{bmatrix} 0.9 & 0.1 \\ 0.75 & 0.25 \end{bmatrix} \cdot \begin{bmatrix} 0.88 & 0.12 \\ 0.78 & 0.22 \end{bmatrix} \cdot \begin{bmatrix} 0.85 & 0.15 \\ 0.8 & 0.2 \end{bmatrix} \cdot \begin{bmatrix} 0.8 & 0.2 \\ 0.85 & 0.15 \end{bmatrix}$

$= \begin{bmatrix} 1 & 0 \end{bmatrix} \cdot \begin{bmatrix} 0.8078250 & 0.1921750 \\ 0.8078625 & 0.1921375 \end{bmatrix} = \begin{bmatrix} 0.8078250 & 0.1921750 \end{bmatrix}$

배우자가 있을 확률은 80.78250%이다.

(2) 현재 배우자가 있는 상태에서 40세 여성에 대한 상태벡터는 다음과 같다.

$S = \begin{bmatrix} 0 & 1 \end{bmatrix}$

위의 상태벡터를 통해서 40세 여성의 경우 44세가 되는 시점에서 상태벡터는 다음과 같이 계산된다.

44세가 되는 시점에서 상태벡터

$= \begin{bmatrix} 0 & 1 \end{bmatrix} \cdot \begin{bmatrix} 0.9 & 0.1 \\ 0.75 & 0.25 \end{bmatrix} \cdot \begin{bmatrix} 0.88 & 0.12 \\ 0.78 & 0.22 \end{bmatrix} \cdot \begin{bmatrix} 0.85 & 0.15 \\ 0.8 & 0.2 \end{bmatrix} \cdot \begin{bmatrix} 0.8 & 0.2 \\ 0.85 & 0.15 \end{bmatrix}$

$= \begin{bmatrix} 0 & 1 \end{bmatrix} \cdot \begin{bmatrix} 0.8078250 & 0.1921750 \\ 0.8078625 & 0.1921375 \end{bmatrix}$

$= \begin{bmatrix} 0.8078625 & 0.1921375 \end{bmatrix}$

배우자가 없을 확률은 19.21375%이다.

(3) 현재 상태벡터는 다음과 같다.

$S = \begin{bmatrix} 0.7 & 0.3 \end{bmatrix}$

$41 = \begin{bmatrix} 0.7 & 0.3 \end{bmatrix} \times \begin{bmatrix} 0.9 & 0.1 \\ 0.75 & 0.25 \end{bmatrix} = \begin{bmatrix} 0.855 & 0.145 \end{bmatrix}$ 세의 상태벡터

41세 배우자가 있는 여성의 비율은 85.5%이다.

$42 = \begin{bmatrix} 0.855 & 0.145 \end{bmatrix} \times \begin{bmatrix} 0.88 & 0.12 \\ 0.78 & 0.22 \end{bmatrix} = \begin{bmatrix} 0.8655 & 0.1345 \end{bmatrix}$ 세의 상태벡터

42세 배우자가 있는 여성의 비율은 86.55%이다.

$43 = \begin{bmatrix} 0.8655 & 0.1345 \end{bmatrix} \times \begin{bmatrix} 0.85 & 0.15 \\ 0.8 & 0.2 \end{bmatrix} = \begin{bmatrix} 0.843275 & 0.156725 \end{bmatrix}$ 세의 상태벡터

43세 배우자가 있는 여성의 비율은 84.3275%이다.

$44 = \begin{bmatrix} 0.843275 & 0.156725 \end{bmatrix} \times \begin{bmatrix} 0.8 & 0.2 \\ 0.85 & 0.15 \end{bmatrix} = \begin{bmatrix} 0.8078363 & 0.921637 \end{bmatrix}$ 세의 상태벡

터 44세 배우자가 있는 여성의 비율은 80.78363%이다.

문제 5번

답 (1) 27명

(2) 727명

 풀이 ──

(1) 상태집합은 다음과 같이 구성된다.

A={암 병력이 없는 생존상태, 암 병력을 가지고 있는 생존상태, 사망상태}

60세 암 병력이 없는 3,000명의 피보험자의 3년 후 시점에서 상태벡터

$$= \begin{bmatrix} 3{,}000 & 0 & 0 \end{bmatrix} \times \begin{bmatrix} 0.983 & 0.002 & 0.015 \\ 0 & 0.7 & 0.3 \\ 0 & 0 & 1 \end{bmatrix} \times \begin{bmatrix} 0.976 & 0.004 & 0.02 \\ 0 & 0.65 & 0.35 \\ 0 & 0 & 1 \end{bmatrix}$$

$$\times \begin{bmatrix} 0.969 & 0.006 & 0.025 \\ 0 & 0.6 & 0.4 \\ 0 & 0 & 1 \end{bmatrix}$$

$$= \begin{bmatrix} 2{,}788.999 & 26.68694 & 184.314 \end{bmatrix}$$

3년 후 시점에서 암 병력을 가지고 있으면서 생존하고 있게 될 인원 수의 기대 값은 26.68694명이다.

(2) 60세 암 병력이 있는 1,000명의 인구의 3년 후 시점에서 상태벡터

$$= \begin{bmatrix} 0 & 1{,}000 & 0 \end{bmatrix} \times \begin{bmatrix} 0.983 & 0.002 & 0.015 \\ 0 & 0.7 & 0.3 \\ 0 & 0 & 1 \end{bmatrix} \times \begin{bmatrix} 0.976 & 0.004 & 0.02 \\ 0 & 0.65 & 0.35 \\ 0 & 0 & 1 \end{bmatrix}$$

$$\times \begin{bmatrix} 0.969 & 0.006 & 0.025 \\ 0 & 0.6 & 0.4 \\ 0 & 0 & 1 \end{bmatrix}$$

$$= \begin{bmatrix} 0 & 273 & 727 \end{bmatrix}$$

3년 이내에 사망하게 될 인원 수의 기대 값은 727명이다.

문제 6번

답 (1) 2,650, 1,255.986, 2,843, 1,690.518

(2) 3,590.517

풀이

(1) 76세의 상태벡터$= \begin{bmatrix} 1 & 0 & 0 & 0 \end{bmatrix} \times \begin{bmatrix} 0.6 & 0.2 & 0.15 & 0.05 \\ 0.05 & 0.6 & 0.25 & 0.1 \\ 0 & 0.05 & 0.65 & 0.3 \\ 0 & 0 & 0 & 1 \end{bmatrix}$

$\qquad\qquad\qquad = \begin{bmatrix} 0.6 & 0.2 & 0.15 & 0.05 \end{bmatrix}$

76세에 지급받게 될 총 연금수령액의 평균

$\quad = 0.6 \times 2,000 + 0.2 \times 3,500 + 0.15 \times 5,000$

$\quad = 2,650$

76세에 지급받게 될 총 연금수령액의 표준편차

$\quad = \sqrt{0.6 \times 2,000^2 + 0.2 \times 3,500^2 + 0.15 \times 5,000^2 - 2650^2} = 1,255.986$

77세의 상태벡터$= \begin{bmatrix} 0.6 & 0.2 & 0.15 & 0.05 \end{bmatrix} \times \begin{bmatrix} 0.52 & 0.24 & 0.18 & 0.06 \\ 0.04 & 0.54 & 0.28 & 0.14 \\ 0 & 0.04 & 0.64 & 0.32 \\ 0 & 0 & 0 & 1 \end{bmatrix}$

$\qquad\qquad\qquad = \begin{bmatrix} 0.32 & 0.258 & 0.26 & 0.162 \end{bmatrix}$

77세에 지급받게 될 총 연금수령액의 평균

$\quad = 0.32 \times 2,000 + 0.258 \times 3,500 + 0.26 \times 5,000 = 2,843$

77세에 지급받게 될 총 연금수령액의 표준편차

$\quad = \sqrt{0.32 \cdot 2,000^2 + 0.258 \cdot 3,500^2 + 0.26 \cdot 5,000^2 - 2650^2} = 1,690.518$

(2) 76세의 상태벡터$= \begin{bmatrix} 0.4 & 0.35 & 0.25 & 0 \end{bmatrix} \times \begin{bmatrix} 0.6 & 0.2 & 0.15 & 0.05 \\ 0.05 & 0.6 & 0.25 & 0.1 \\ 0 & 0.05 & 0.65 & 0.3 \\ 0 & 0 & 0 & 1 \end{bmatrix}$

$\qquad\qquad\qquad = \begin{bmatrix} 0.2575 & 0.3025 & 0.31 & 0.13 \end{bmatrix}$

76세에 지급받게 될 총 연금수령액의 평균

$\quad = 0.2575 \cdot 2,000 + 0.3025 \cdot 3,500 + 0.31 \cdot 5,000 = 3,123.75$

76세 생존 여성 1인당 연금지급액이기 때문에 76세 생존자 비율을 계산하여
나눠주어야 한다.

76세 사망자 비율은 76세의 상태백터의 4번째 값인 0.13이므로

76세 생존자 비율은 1-0.13=0.87이다.

76세 생존 여성의 1인당 연금 지급액의 평균

$\quad = \dfrac{76세의\ 지급받게\ 될\ 총\ 연금\ 지급액의\ 평균}{75세\ 기준\ 76세\ 생존\ 여성\ 비율}$

$\quad = \dfrac{3,123.75}{0.87} = 3,590.517$

문제 7번

 답 (1) 19.146%

(2) 22,343.595

(3) 37.926%

풀이 --

(1) 두 명 모두 20년 이내에 사망할 확률 $= 1 - P_{11}(20) - P_{12}(20) - P_{13}(20)$

Step1. $P_{11}(20)$ 계산

$$= 1 - \int_0^{20} {}_sp_{50}^{(M)} \times {}_sp_{50}^{(F)} \times \left(\mu_{50+s}^{(F)} + \mu_{50+s}^{(M)} \right) ds = 1 - \int_0^{20} \left(e^{-\frac{7}{120}s} \right) \times \frac{7}{120} ds$$

$$= 1 - 0.68860 = 0.31140$$

Step2. $P_{12}(20)$ 계산

$$= \int_0^{20} {}_{20}p_{50}^{(M)} \times {}_sp_{50}^{(F)} \times \left(\mu_{50+s}^{(F)} \right) ds = \int_0^{20} e^{-\frac{20}{30}} \times \left(e^{-\frac{1}{40}s} \right) \times \frac{1}{40} ds = 0.20201$$

Step3. $P_{13}(20)$ 계산

$$= \int_0^{20} {}_sp_{50}^{(M)} \times {}_{20}p_{50}^{(F)} \times \left(\mu_{50+s}^{(M)} \right) ds = \int_0^{20} e^{-\frac{20}{40}} \times \left(e^{-\frac{1}{30}s} \right) \times \frac{1}{30} ds = 0.29513$$

두 명 모두 20년 이내에 사망할 확률

$$= 1 - (0.31140 + 0.20201 + 0.29513) = 0.19146$$

(2) 부인이 먼저 사망한 시점부터 남편이 사망할 때까지 지급되는 연금이므로

$5,000 \times \int_0^\infty v^t \times p_{13} dt$로 계산할 수 있다.

$$= 5,000 \times \int_0^\infty v^t \times p_{13}(t) dt$$

Step1. $p_{13}(t)$ 계산

$$= \int_0^t {}_tp_{50}^{(M)} \times {}_sp_{50}^{(F)} \times \left(\mu_{50+s}^{(F)} \right) ds = \left(e^{-\frac{1}{30}t} \right) \times \int_0^t \left(e^{-\frac{1}{40}s} \right) \times \frac{1}{40} ds$$

Step2. 조건에 따른 전환연금 가치 계산

$$= 5,000 \times \int_0^\infty {}^t \times p_{13}(t) dt = 5,000 \times \int_0^\infty e^{-0.03t} \times \left(\frac{e^{-\frac{1}{30}t}}{40} \int_0^t e^{-\frac{1}{40}s} ds \right) dt$$

$$= 22,343.59483$$

(3) 10년 후 한 명의 배우자만 생존해 있을 확률

$$= \int_0^{10} {}_{10}p_{50}^{(M)} \times {}_sp_{50}^{(F)} \times \mu_{50+s}^{(F)} ds + \int_0^{10} {}_{10}p_{50}^{(F)} \times {}_sp_{50}^{(M)} \times \mu_{50+s}^{(M)} ds$$

$$= \int_0^{10} e^{-\frac{10}{40}} \times e^{-\frac{1}{30}s} \times \frac{1}{30} ds + \int_0^{10} e^{-\frac{10}{30}} \times e^{-\frac{1}{40}s} \times \frac{1}{40} ds$$

$$= \frac{1 \times 120}{30 \times 7} \times \left(1 - e^{-\frac{70}{120}}\right) + \frac{1 \times 120}{40 \times 7} \times \left(1 - e^{-\frac{70}{120}}\right)$$

$$= 0.37926$$

문제 8번

답 (1) $P = \begin{bmatrix} 0.449 & 0.308 & 0.243 \\ 0 & 0.819 & 0.181 \\ 0 & 0 & 1 \end{bmatrix}$

(2) $\begin{bmatrix} 31.451\% & 46.107\% & 22.472\% \end{bmatrix}$

풀이

(1) 전이력 행렬이 다음과 같다.

$$Q = \begin{bmatrix} -0.08 & 0.05 & 0.03 \\ 0 & -0.02 & 0.02 \\ 0 & 0 & 0 \end{bmatrix}$$

해당 전이력 행렬을 통해서 전이 행렬을 다음과 같이 만들 수 있다.

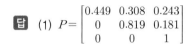

$$= \begin{bmatrix} 0.449329 & 0.3078 & 0.2429 \\ 0 & 0.8187308 & 0.1812692 \\ 0 & 0 & 1 \end{bmatrix}$$

(2) (1)을 통해 전이행렬을 도출할 수 있었다.

$$P = \begin{bmatrix} 0.449329 & 0.3078 & 0.2429 \\ 0 & 0.8187308 & 0.1812692 \\ 0 & 0 & 1 \end{bmatrix}$$

또한 문제에서 주어진 상태벡터는 다음과 같다.

$$[0.7 \quad 0.3 \quad 0]$$

따라서 10년 후 상태별 개체 수의 비율은

$$= \begin{bmatrix} 0.7 & 0.3 & 0 \end{bmatrix} \times \begin{bmatrix} 0.449329 & 0.3078 & 0.2429 \\ 0 & 0.8187308 & 0.1812692 \\ 0 & 0 & 1 \end{bmatrix}$$

$$= \begin{bmatrix} 0.31451 & 0.46107 & 0.22472 \end{bmatrix}$$

문제 9번

답 (1) 34.26%

(2) $[44.75\% \quad 36.67\% \quad 18.58\%]$

(1) 전이행렬은 다음과 같다.

$$P = \begin{bmatrix} 0.8 & 0.15 & 0.05 \\ 0.25 & 0.6 & 0.15 \\ 0.1 & 0.35 & 0.55 \end{bmatrix}$$

세 번 갱신하는 경우에 두 번 이상 1등급으로 갱신할 경우의 수와 확률은 다음과 같다.

$2 \to 1 \to 1 \to 1 \ (0.25 \cdot 0.8 \cdot 0.8)$

$2 \to 1 \to 1 \to 2 \ (0.25 \cdot 0.8 \cdot 0.15)$

$2 \to 1 \to 1 \to 3 \ (0.25 \cdot 0.8 \cdot 0.05)$

$2 \to 1 \to 2 \to 1 \ (0.25 \cdot 0.15 \cdot 0.25)$

$2 \to 1 \to 3 \to 1 \ (0.25 \cdot 0.05 \cdot 0.1)$

$2 \to 2 \to 1 \to 1 \ (0.6 \cdot 0.25 \cdot 0.8)$

$2 \to 3 \to 1 \to 1 \ (0.15 \cdot 0.1 \cdot 0.8)$

따라서 총 확률은 34.26%

(2) 현재 상태벡터가 다음과 같다.

$$S = \begin{bmatrix} 450 & 600 & 250 \end{bmatrix}$$

따라서 2년 후 시점에서 각 등급별 예상 비율은 다음과 같다.

2년 후 시점에서 각 등급별 예상 비율

$$= \begin{bmatrix} \dfrac{450}{1,300} & \dfrac{600}{1,300} & \dfrac{250}{1,300} \end{bmatrix} \times \begin{bmatrix} 0.8 & 0.15 & 0.05 \\ 0.25 & 0.6 & 0.15 \\ 0.1 & 0.35 & 0.55 \end{bmatrix} \times \begin{bmatrix} 0.8 & 0.15 & 0.05 \\ 0.25 & 0.6 & 0.15 \\ 0.1 & 0.35 & 0.55 \end{bmatrix}$$

$$= \begin{bmatrix} 0.4475000 & 0.3667308 & 0.1857692 \end{bmatrix}$$

문제 10번

답 (1) $2e^{-0.1t} - e^{-0.2t}$

(2) 15

(3) 12.121

(1) (i) $p_{11}(0, t) = \exp\left(-\int_0^t 0.1 dt\right) = e^{-0.1t}$

(ii) $\displaystyle\int_0^t p_{11}(0, s) q_{12}(s) p_{22}(s, t) ds = \int_0^t e^{-0.1s} \cdot 0.1 \cdot e^{-0.2(t-s)} ds$

$$= 0.1 \ e^{-0.2t} \cdot \int_0^t e^{0.1s} ds = e^{-0.1t} - e^{-0.2t}$$

$$(\text{i}) + (\text{ii}) \ = 2e^{-0.1t} - e^{-0.2t}$$

$$(2) \ \dot{e} = \int_0^\infty 2e^{-0.1t} - e^{-0.2t} dt = 15$$

$$(\text{i}) \ p_{11}(0, t) = \exp\left(-\int_0^t 0.12 dt\right) = e^{-0.12t}$$

$$(\text{ii}) \int_0^t p_{11}(0, s) \cdot q_{12}(s) \cdot p_{22}(s, t) ds = \int_0^t e^{-0.12s} \cdot 0.12 \cdot e^{-0.22(t-s)} ds$$

$$= e^{-0.22t} \cdot \left(e^{0.1t} - 1\right)$$

$$(\text{i}) + (\text{ii}) \ = 2e^{-0.12t} - e^{-0.22t}$$

$$\therefore \ \dot{e} = \int_0^\infty 2e^{-0.12t} - e^{-0.22t} dt = 12.1212$$

문제 11번

답 147.694

$$P = \begin{pmatrix} 0.7 & 0.2 & 0.1 \\ 0.1 & 0.55 & 0.35 \\ 0 & 0 & 1 \end{pmatrix}$$

$$P^2 = \begin{pmatrix} 0.51 & 0.25 & 0.24 \\ 0.125 & 0.3225 & 0.5525 \\ 0 & 0 & 1 \end{pmatrix}$$

$$P^3 = \begin{pmatrix} 0.382 & 0.2395 & 0.3785 \\ 0.1198 & 0.2024 & 0.678 \\ 0 & 0 & 1 \end{pmatrix}$$

3년 이내에 소득 보상금을 받기 위해선 3년간 내내 건강하거나 3년이내에 건강하다가 사망한 경우를 제외해야 한다. 즉, 3년간 내내 건강할 확률과 3년이내에 건강하다가 사망한 확률의 합의 여확률이 이항 분포의 모수 p에 해당될 것이다. 또한, 연말 상태에 근거하여 소득보상금을 지급하기 때문에 세 번의 전이를 고려한다.

3년간 내내 건강할 확률: $0.7^3 = 0.343$

3년이내에 건강하다가 사망할 확률: $0.1 + 0.7 \cdot 0.1 + 0.7 \cdot 0.7 \cdot 0.1 = 0.219$

모수 $p : 1 - (0.343 + 0.219) = 0.438$

$N \sim B(600, 0.438)$

$Var(N) = 600 \cdot 0.438 \cdot 0.562 = 147.6936$

문제 12번

답 0.011

예제 10.7과 동일한 구조를 갖는 문제이다. 4년이내에 2차 시험에 합격할 확률은 4년동안 1차 시험도 합격하지 못할 확률과 1차 시험은 합격했지만 2차 시험은 4년이내 합격하지 못할 확률의 합의 여확률이 된다.

(i) 1차 시험도 합격하지 못할 확률: $P_{11}(0, 4) = \exp\left(-\int_0^4 \frac{1}{40-t}dt\right) = 0.9$

(ii) 1차 시험은 합격하지만 2차 시험은 합격하지 못할 확률:

$$\int_0^4 p_{11}(0, s) \cdot q_{12}(s) \cdot p_{22}(s, 4)ds = \int_0^4 \frac{40-s}{40}\frac{1}{40-s}e^{-0.06(4-s)}ds = 0.088905$$

(i) + (ii) = 0.9 + 0.088905 = 0.988905

1 - 0.988905 = 0.011095

문제 13번

답 43,570.27

$$_tp^{11} = \exp\left(-\int_0^t 0.005 + 0.001 + 0.01\, dt\right)e^{-0.016t}$$

$$APV = 1,000,000\int_0^{10} e^{-0.03t} \cdot e^{0.016t} \cdot 0.005dt = 40,077.86462$$

문제 14번

답 0.00368

전이력 행렬 $P = \begin{pmatrix} -0.041 & 0.01 & 0.03 & 0.001 \\ 0 & -0.03 & 0 & 0.03 \\ 0 & 0 & -0.01 & 0.01 \\ 0 & 0 & 0 & 0 \end{pmatrix}$

$$_{5|5}q_{xy} = {}_5p_{xy}^{11} \cdot {}_5q_{x+5:y+5} = e^{-0.041\cdot 5} \cdot \int_0^5 e^{-0.041t} \cdot 0.001\, dt$$

$$= 0.814647 \cdot \frac{0.001}{0.041} \cdot (1-0.814647) = 0.003683$$

문제 15번

답 0.094

풀이

$$\text{전이력 행렬 } P = \begin{pmatrix} -0.12 & 0.06 & 0.04 & 0.02 \\ 0 & -0.05 & 0 & 0.05 \\ 0 & 0 & -0.07 & 0.07 \\ 0 & 0 & 0 & 0 \end{pmatrix}$$

$$\bar{a}_{xy} = \int_0^\infty v^t \,_t p_{xy}^{11} dt = \int_0^\infty e^{-0.02t} e^{-0.12t} dt = \frac{1}{0.14} = 7.142857$$

$$_t p_x^{12} = \int_0^t \,_s p_x^{\overline{11}} \cdot \mu_{x+s}^{12} \cdot \,_{t-s} p_{x+s}^{\overline{22}} ds, \quad _t p_x^{13} = \int_0^t \,_s p_x^{\overline{11}} \cdot \mu_{x+s}^{13} \cdot \,_{t-s} p_{x+s}^{\overline{33}} ds$$

$$_t p_{xy}^{11} = e^{-0.12t}, \quad _t p_{xy}^{12} = \frac{0.06}{0.07} e^{-0.05t}\left(1 - e^{-0.07t}\right), \quad _t p_{xy}^{13} = \frac{0.04}{0.05} e^{-0.07t}\left(1 - e^{-0.05t}\right)$$

$$\bar{A}_{\overline{xy}} = \int_0^\infty v^t \cdot \left(_t p_{xy}^{11} \cdot \mu_{x+t:y+t}^{14} + \,_t p_{xy}^{12} \cdot \mu_{x+t:y+t}^{24} + \,_t p_{xy}^{13} \cdot \mu_{x+t:y+t}^{34}\right) dt$$

$$= \int_0^\infty e^{-0.02t}\left(0.02 e^{-0.12t} + \frac{0.05 \cdot 6}{7} e^{-0.05t}\left(1 - e^{-0.07t}\right) + \frac{4 \cdot 0.07}{5} e^{-0.07t}\left(1 - e^{-0.05t}\right)\right) dt$$

$$= 0.671201$$

$$\bar{P} = \frac{\bar{A}_{\overline{xy}}}{\bar{a}_{xy}} = \frac{0.671201}{7.142857} = 0.09397$$

문제 16번

답 (1) $\begin{pmatrix} 0.85 & 0.1 & 0.05 \\ 0.85 & 0 & 0.15 \\ 0 & 0.85 & 0.15 \end{pmatrix}$

(2) 628.75

풀이

(1) $P = \begin{pmatrix} 0.85 & 0.1 & 0.05 \\ 0.85 & 0 & 0.15 \\ 0 & 0.85 & 0.15 \end{pmatrix}$

(2) $P^2 = \begin{pmatrix} 0.8075 & 0.1275 & 0.065 \\ 0.7225 & 0.2125 & 0.065 \\ 0.7225 & 0.1275 & 0.15 \end{pmatrix}$

$$(1 \quad 0 \quad 0) \times \begin{pmatrix} 0.8075 & 0.1275 & 0.065 \\ 0.7225 & 0.2125 & 0.065 \\ 0.7225 & 0.1275 & 0.15 \end{pmatrix} = (0.8075 \quad 0.1275 \quad 0.065)$$

$$500 \times 0.8075 + 1,000 \times 0.1275 + 1,500 \times 0.065 = 628.75$$

문제 17번

답 (1) 2,814,642.857

(2) 해설 참조

전이행렬 P: 건강상태 1, 경중상태 2, 중증상태 3, 사망상태 4라 하면

$$P = \begin{pmatrix} 0.8 & 0.1 & 0 & 0.1 \\ 0 & 0.6 & 0.3 & 0.1 \\ 0 & 0 & 0.5 & 0.5 \\ 0 & 0 & 0 & 1 \end{pmatrix}$$

(1) 경중요양급여금과 중증요양급여금을 모두 아울러 총급여금을 받는 횟수에 따라 구분하면

    (i) 1번 받는 경우— $APV1 = 150{,}000$

        건강 → 경중 → 사망

$$3{,}000{,}000 \sum_{t=0}^{\infty} (p^{11})^t \cdot p^{12} \cdot p^{14} = 3{,}000{,}000 \cdot 0.01 \frac{1}{1-0.8} = 150{,}000$$

    (ii) 2번 받는 경우— $APV2 = 990{,}000$

        건강 → 경중 → 경중 → 사망$= 165{,}000$

$$3{,}000{,}000 \sum_{t=0}^{\infty} (p^{11})^t \cdot p^{12} \cdot p^{12} = 3{,}000{,}000 \cdot 0.01 \frac{1}{1-0.8} = 150{,}000$$

$$3{,}000{,}000 \sum_{t=0}^{\infty} (p^{11})^t \cdot p^{12} \cdot p^{12} \cdot p^{14} = 3{,}000{,}000 \cdot 0.001 \frac{1}{1-0.8} = 15{,}000$$

        건강 → 경중 → 중증 → 사망$= 825{,}000$

$$3{,}000{,}000 \sum_{t=0}^{\infty} (p^{11})^t \cdot p^{12} \cdot p^{23} = 3{,}000{,}000 \cdot 0.03 \frac{1}{1-0.8} = 450{,}000$$

$$5{,}000{,}000 \sum_{t=0}^{\infty} (p^{11})^t \cdot p^{12} \cdot p^{23} \cdot p^{34} = 5{,}000{,}000 \cdot 0.015 \frac{1}{1-0.8} = 375{,}000$$

    (iii) 3번 받는 경우— $APV3 = 3{,}901{,}500$

        건강 → 경중 → 경중 → 경중 → 사망$= 1{,}494{,}000$

$$3{,}000{,}000 \sum_{t=0}^{\infty} (p^{11})^t \cdot p^{12} \cdot p^{22} = 3{,}000{,}000 \cdot 0.06 \frac{1}{1-0.8} = 900{,}000$$

$$3{,}000{,}000 \sum_{t=0}^{\infty} (p^{11})^t \cdot p^{12} \cdot p^{22} \cdot p^{22} = 3{,}000{,}000 \cdot 0.036 \frac{1}{1-0.8} = 540{,}000$$

$$3{,}000{,}000 \sum_{t=0}^{\infty} (p^{11})^t \cdot p^{12} \cdot p^{22} \cdot p^{22} \cdot p^{24} = 3{,}000{,}000 \cdot 0.0036 \frac{1}{1-0.8}$$
$$= 54{,}000$$

        건강 → 경중 → 경중 → 중증 → 사망$= 1{,}395{,}000$

$$3,000,000 \sum_{t=0}^{\infty} \left(p^{11}\right)^t \cdot p^{12} \cdot p^{22} = 3,000,000 \cdot 0.06 \frac{1}{1-0.8} = 900,000$$

$$3,000,000 \sum_{t=0}^{\infty} \left(p^{11}\right)^t \cdot p^{12} \cdot p^{22} \cdot p^{23} = 3,000,000 \cdot 0.018 \frac{1}{1-0.8} = 270,000$$

$$5,000,000 \sum_{t=0}^{\infty} \left(p^{11}\right)^t \cdot p^{12} \cdot p^{22} \cdot p^{23} \cdot p^{34} = 5,000,000 \cdot 0.009 \frac{1}{1-0.8}$$
$$= 225,000$$

건강 → 경증 → 중증 → 중증 → 사망 = 1,012,500

$$3,000,000 \sum_{t=0}^{\infty} \left(p^{11}\right)^t \cdot p^{12} \cdot p^{23} = 3,000,000 \cdot 0.03 \frac{1}{1-0.8} = 450,000$$

$$5,000,000 \sum_{t=0}^{\infty} \left(p^{11}\right)^t \cdot p^{12} \cdot p^{23} \cdot p^{33} = 5,000,000 \cdot 0.015 \frac{1}{1-0.8} = 375,000$$

$$5,000,000 \sum_{t=0}^{\infty} \left(p^{11}\right)^t \cdot p^{12} \cdot p^{23} \cdot p^{33} \cdot p^{34} = 5,000,000 \cdot 0.0075 \frac{1}{1-0.8}$$
$$= 187,500$$

(iv) 4번 받는 경우 – $APV4 = 6,780,000$

건강 → 경증 → 경증 → 경증 → 경증 = 2,088,000

$$3,000,000 \sum_{t=0}^{\infty} \left(p^{11}\right)^t \cdot p^{12} \cdot p^{22} = 3,000,000 \cdot 0.06 \frac{1}{1-0.8} = 900,000$$

$$3,000,000 \sum_{t=0}^{\infty} \left(p^{11}\right)^t \cdot p^{12} \cdot p^{22} \cdot p^{22} = 3,000,000 \cdot 0.036 \frac{1}{1-0.8} = 540,000$$

$$3,000,000 \sum_{t=0}^{\infty} \left(p^{11}\right)^t \cdot p^{12} \cdot p^{22} \cdot p^{22} \cdot p^{22} = 3,000,000 \cdot 0.0216 \frac{1}{1-0.8}$$
$$= 324,000$$

건강 → 경증 → 경증 → 경증 → 중증 = 1,872,000

$$3,000,000 \sum_{t=0}^{\infty} \left(p^{11}\right)^t \cdot p^{12} \cdot p^{22} = 3,000,000 \cdot 0.06 \frac{1}{1-0.8} = 900,000$$

$$3,000,000 \sum_{t=0}^{\infty} \left(p^{11}\right)^t \cdot p^{12} \cdot p^{22} \cdot p^{22} = 3,000,000 \cdot 0.036 \frac{1}{1-0.8} = 540,000$$

$$3,000,000 \sum_{t=0}^{\infty} \left(p^{11}\right)^t \cdot p^{12} \cdot p^{22} \cdot p^{22} \cdot p^{23} = 3,000,000 \cdot 0.0108 \frac{1}{1-0.8}$$
$$= 162,000$$

$$5,000,000 \sum_{t=0}^{\infty} \left(p^{11}\right)^t \cdot p^{12} \cdot p^{22} \cdot p^{22} \cdot p^{23} = 5,000,000 \cdot 0.0108 \frac{1}{1-0.8}$$
$$= 270,000$$

건강 → 경증 → 경증 → 중증 → 중증= 1,620,000

$$3,000,000 \sum_{t=0}^{\infty} \left(p^{11}\right)^t \cdot p^{12} \cdot p^{22} = 3,000,000 \cdot 0.06 \frac{1}{1-0.8} = 900,000$$

$$3,000,000 \sum_{t=0}^{\infty} \left(p^{11}\right)^t \cdot p^{12} \cdot p^{22} \cdot p^{23} = 3,000,000 \cdot 0.018 \frac{1}{1-0.8} = 270,000$$

$$5,000,000 \sum_{t=0}^{\infty} \left(p^{11}\right)^t \cdot p^{12} \cdot p^{22} \cdot p^{23} \cdot p^{33} = 5,000,000 \cdot 0.009 \frac{1}{1-0.8}$$
$$= 225,000$$

$$5,000,000 \sum_{t=0}^{\infty} \left(p^{11}\right)^t \cdot p^{12} \cdot p^{22} \cdot p^{23} \cdot p^{33} = 5,000,000 \cdot 0.009 \frac{1}{1-0.8}$$
$$= 225,000$$

건강 → 경증 → 중증 → 중증 → 중증= 1,200,000

$$3,000,000 \sum_{t=0}^{\infty} \left(p^{11}\right)^t \cdot p^{12} \cdot p^{23} = 3,000,000 \cdot 0.03 \frac{1}{1-0.8} = 450,000$$

$$5,000,000 \sum_{t=0}^{\infty} \left(p^{11}\right)^t \cdot p^{12} \cdot p^{23} \cdot p^{33} = 5,000,000 \cdot 0.015 \frac{1}{1-0.8} = 375,000$$

$$5,000,000 \sum_{t=0}^{\infty} \left(p^{11}\right)^t \cdot p^{12} \cdot p^{23} \cdot p^{33} \cdot p^{33} = 5,000,000 \cdot 0.0075 \frac{1}{1-0.8}$$

$$5,000,000 \sum_{t=0}^{\infty} \left(p^{11}\right)^t \cdot p^{12} \cdot p^{23} \cdot p^{33} \cdot p^{33} = 5,000,000 \cdot 0.0075 \frac{1}{1-0.8}$$
$$= 187,500$$

$$APV = 150,000 + 990,000 + 3,901,500 + 6,780,000 = 11,821,500$$

$$\ddot{a}_x^{11} = \sum_{t=0}^{\infty} \frac{(0.8)^t}{(1.05)^t} = 4.2$$

$$P = \frac{APV}{\ddot{a}_x^{11}} = 2,814,642.857$$

(2) $p_x^{11} = 0.6$이고 $p_x^{12} = 0.3$, $p_x^{22} = 0.5$이므로

V(경증)$= (0.6A + 0.3B)/1.05$

V(중증)$= 0.5B/1.05$

문제 18번

📋 (1) 0.2

(2) 0.196

(3) 0.189

(4) 531,432.922원

풀이

건강상태, 질병상태, 사망상태를 각각의 행과 열로 하는 전이행렬을 만들면

$$P = \begin{pmatrix} 0.78 & 0.2 & 0.02 \\ 0.7 & 0.2 & 0.1 \\ 0 & 0 & 1 \end{pmatrix}$$

$$P^2 = \begin{pmatrix} 0.7484 & 0.196 & 0.0556 \\ 0.686 & 0.18 & 0.134 \\ 0 & 0 & 1 \end{pmatrix}$$

$$P^3 = \begin{pmatrix} 0.721 & 0.1889 & 0.0902 \\ 0.6611 & 0.1732 & 0.1657 \\ 0 & 0 & 1 \end{pmatrix}$$

(1) $P_{12} = 0.2$

(2) $P_{12}^2 = 0.196$

(3) $P_{12}^3 = 0.1889$

(4) $APV = 1{,}000{,}000 \left(\dfrac{0.2}{1.05} + \dfrac{0.196}{1.05^2} + \dfrac{0.1889}{1.05^3} \right) = 531{,}432.9224$원

정 답 표

0장 ▶ 이자론 기초

01 (1) 그래프 생략

(2) $0 < t < 1$

(3) 최대가 되는 시점: $\log_{(1+i)}\dfrac{i}{\ln(1+i)}$

누적가치의 차이:

$$1+i\log_{(1+i)}\dfrac{i}{\ln(1+i)} - \dfrac{i}{\ln(1+i)}$$

02 (1) 1,240,747.378

(2) 1,220,000

(3) 1,384,233.871

(4) 1,244,715.860

03 (1) 0.00498

(2) 0.00848

(3) 0.02913

(4) 0.00995

(5) 0.03023

04 5.295

05 1,666,667원

06 409,838.217원

07 19,606.760원

08 1,109,978.509원

09 실효이율 0.00742 발생이자 7,927.135원

10 0.00412

11 해설 참조

12 0.045

13 (1) 0.027

(2) 946.62

14 0.076

15 240,411.760원

16 0.381

17 0.078

18 666,442.837

19 $d^{(2)} > d^{(6)} > \delta > i^{(12)} > i^{(4)}$

20 0.060

21 (1) $\dfrac{4}{33}$

(2) 1.175

22 109,527.654만원

23 e

24 해설 참조

25 매 시점말에 이자 i만 따로 모아서 n년 까지 부리시킨 값과, 복리로 투자했을 때 생긴 총 이자 값은 같다.

26 0.0372

27 306.997만원

28 68.396만원

29 474.924만원

30 0.099

31 266,592.136

32 2.830

33 25,816만원

34 10.480

35 해설 참조

36 3.896

37 6번

38 5,902.726만원

39 28.532

40 1,319.957, 해설 참조

41 82,137.309

42 2,137.400

43 $\dfrac{1.05}{4}X^2$

44 1,386.087만원

45 0.0845

46 10,220.012

47 풀이 생략

48 $s_1=3.5\%$, $s_2=3.700\%$, $s_3=3.866\%$

49 (1) 434.068

    (2) 425.126

    (3) 0.076

50 (1) 1,969.56

    (2) 0.028

1장 생존분포와 생명표

01 (1) 991.391

    (2) 8.628

    (3) 8.647

02 (1) $\exp\left(-\dfrac{B}{\ln c}\left(c^x-1\right)\right)$

    (2) $\exp\left(-\dfrac{k}{(n+1)}\times x^{n+1}\right)$

    (3) $\left(\dfrac{b}{b+x}\right)^a$

03 1436.19

04 해설 참조

05 (1) 1/c

    (2) $-1/c\times\ln 0.5$

    (3) 0

06 0.241

07 UDD: 116.719, 상수사력: 116.652

08 2.479

09 98,049.52

10 18.620

11 0.583

12 0.02

13 14.574

14 0.282

15 0.75

16 0.00268

17 해설 참조

18 −23.500

19 $\exp\left(-A-B\times c^x \times \dfrac{c-1}{\ln(c)}\right)$

2장 생명보험

01 (1) 0.245, 0.065

    (2) 0.670

    (3) $\dfrac{1}{4z}$

    (4) 25,573,514.13

02 0.033

03 0.09

04 0.3, 0.284

05 $E[Z]=0.416$, $Var[Z]=0.035$

06 0.078

07 4

08 해설 참조

09 300

10 707,792.76

11 0.865

12 147

13 0.071

14 0.815

15 931.623

16 0.030

17 0.190

18 0.8

19 0.209

20 272.250

21 665.136

22 0.981

23 해설 참조

24 해설 참조

25 (1) 그래프 생략

    (2) 0.418

26 2,654.009원

27 27.09%

28 해설 참조
29 해설 참조

3장 생명연금

01 (a) 18.843 (b) 0.617 (c) 13,932,389
02 3.033
03 40.547
04 해설 참조
05 31.075
06 0.051
07 538.348
08 5,934.52
09 0.835
10 (a) 11.205
   (b) 9.87
11 −0.213
12 0.895
13 65,098.637
14 1.758
15 350.991
16 13.970
17 0.507
18 0.977
19 7.878%
20 14.106
21 114.179
22 12.461
23 (a) 해설 참조
   (b) 2,891.5
   (c) 156,727.75
24 0.071
25 2.674

4장 보험료

01 (1) P=0.025
   (2) P=0.021
   (3) P=0.054
02 46,619.58
03 0.08
04 73.111
05 해설 참조
06 (a) 593.869
   (b) 63.266
07 3,379.572
08 3.75
09 3.021
10 517.529
11 43.229
12 0.00014
13 0.0918
14 1,133.791
15 0.014
16 15,343.027
17 0.1
18 0.049
19 보험료가 0 일 때, $E[L^2]$ 최소
20 0.46
21 17.346

5장 준비금

01 8,119.431
02 0.319
03 127.358
04 255.059
05 287.230
06 0.075
07 171.994

08 9,411.052
09 해설 참조
10 해설 참조
11 해설 참조
12 1,180
13 83.287
14 0.144
15 0.177
16 951.955
17 139.025
18 96.101
19 499.103
20 0.9
21 31.393
22 629.879

6장 준비금의 분석

01 36,657.312
02 0.028
03 4.876
04 296.096
05 499.102
06 83.287
07 10.251
08 10.781
09 0.648
10 해설 참조
11 1.669
12 0.091
13 101.046
14 115.368
15 230.536
16 0.018
17 53.226
18 1,397.727
19 286.038

20 0.071
21 407.767
22 0.279
23 407.7

7장 연 생

01 (1) 0, $s<=0$ or $t<=0$
$(1-\exp(-0.06t))(1-\exp(-0.04s))$, $s>0$,
$t>0$
(2) 0.091
(3) 0.798
(4) $0.06\exp(-0.06t)$, $t>0$
(5) 20.066
02 0.473
03 (1) $\dfrac{(5-s)(5-t)(5-0.5s-0.5t)}{125}$
$0<s<5$, $0<t<5$
(2) -1/11
04 (1) $1-0.01t-0.01s+0.0001ts$
(2) 0.24
(3) 50
05 (1) 0.918
(2) 0.517
06 (1) 해설 참조
(2) 0.262
(3) 0.065
(4) 해설 참조
(5) 0.005
(6) 38.72
07 해설 참조
08 평균=8.19, 분산=10.16
09 (1) 해설 참조
(2) 0.160
10 (1) 0.667
(2) 0.967
(3) 0.25

(4) 0.083

(5) 18.056

(6) 36.944

(7) 160.108

(8) 182.33

(9) 82.947

(10) 0.485

11 0.342

12 (1) 0.008

(2) 0.134

13 해설 참조

14 (1) 9,269,132원

(2) 3,200,143원

15 (1) 0.313

(2) 20.232

(3) 845,100,980원

(4) 124,869,030원

16 1.879

17 (1) 0.25

(2) 0.75

(3) 0.75

(4) 0.25

18 해설 참조

19 0.00000006256

20 319,404,070.3

21 0.016

22 0.077

23 (1) 45,021,645

(2) 2,047,244

(3) 4,727,273

24 (1) 0.00317

(2) 0.00319

25 0

26 (1) 100

(2) 400

27 490

28 1/3

29 해설 참조

30 해설 참조

8장 다중탈퇴모형

01 (1) 0.033

(2) 0.095

(3) 0.819

(4) 0.008

02 (1) $_tq_x^{(1)} = 0.25$, $_tq_x^{(2)} = 0.75$

(2) 해설 참조

(3) 0.114

(4) 0.52

(5) 해설 참조

(6) 0.321

03 (1) 783.2

(2) 174.832

(3) 324.017

04 해설 참조

05 (1) 0.058

(2) 0.655

(3) 0.039

06 (1) 0.013

(2) 0.883

07 (1) 0.368

(2) 0.267

08 (1) 0.658

(2) 0.041

09 (1) $E[_3D_0^{(1)}] = 664.8$,

$Var[_3D_0^{(1)}] = 443.821$

(2) $E[_2D_3^{(2)}] = 27.614$,

$Var[_2D_3^{(2)}] = 27.232$

(3) -1.403

10 해설 참조

11 (1) 0.931

(2) 0.217

(3) 0.268

(4) $f_{T,J}(t,1) = (0.765)^t \times -\ln 0.9$,

$f_{T,J}(t,2) = (0.765)^t \times -\ln 0.85$

12 (1) $q_x^{'(1)} = 0.283$, $q_x^{'(2)} = 0.632$

(2) $q_x^{(1)} = 0.184$, $q_x^{(2)} = 0.552$

13 (1) 해설 참조

(2) 해설 참조

14 0.117

15 (1) $q_x^{(1)} = 0.029$, $q_x^{(2)} = 0.069$

(2) $q_x^{(1)} = 0.029$, $q_x^{(2)} = 0.069$

16 해설 참조

17 0.027

18 해설 참조

19 (1) 865,165원

(2) 질병 사망 시, L=92,554,460원
상해 사망 시, L=45,424,664원

20 (1) 297,753.328원

(2) 7.53×10^{12}

21 (1) 4,094,070원

(2) 8,938,226원

22 0.097

23 (1) 0.192

(2) 17.019

24 (1) 1,887,019원

(2) 1,589,114원

25 (1) 1,524,939원

(2) 529,830원

(3) $_1V=202,034$원, $_2V=205,464$원,
$_3V=0$

26 1,716.981

27 (1) 2/3억

(2) 9,523,809.5원

(3) 4.545억

28 1,400,000원

29 (1) 6,203

(2) 490.092

(3) 1,030.082

9장 사업비를 고려한 모형

01 11,794,382.97원

02 41.757

03 12.641

04 (1) 3,326,511.193원

(2) 10,351,172.68

(3) 해설 참조

05 5,893,082.442원

06 1,229,277.381원

07 209,240.978원

08 2,921,766.886원

09 1,607,399.897원

10 45,758,913.18

11 (1) 824.779

(2) $_1V=535.357$, $_2V=1,243.234$,
$_3V=2,000$

(3) $(AS)_1 = 2,629.772$
$(AS)_2 = 3,435.676$
$(AS)_3 = 2,296.213$

12 (1) 107.814%

(2) −88,799.656

(3) 1차년도 이익: 5.717, 2차년도 이익:
2.996

13 5,554,938

14 2,231.952

15 575.061

10장 다중상태모형의 적용

01 (1) 해설 참조

(2) 해설 참조

02 (1) $\begin{bmatrix} 0.65 & 0.35 \\ 0.25 & 0.75 \end{bmatrix}$

(2) 59.4%

(3) 31.64%

03 (1) 7,090

    (2) 6,240

04 (1) 80.783%

    (2) 19.214%

    (3) 80.784%

05 (1) 27명

    (2) 727명

06 (1) 2,650, 1.255.986, 2,843, 1,690.518

    (2) 3,590.517

07 (1) 19.146%

    (2) 22,343.595

    (3) 37.926%

08 (1) $\begin{bmatrix} 0.449 & 0.308 & 0.243 \\ 0 & 0.819 & 0.181 \\ 0 & 0 & 1 \end{bmatrix}$

    (2) [31.451% 46.107% 18.58%]

09 (1) 34.26%

    (2) [44.75% 36.67% 18.58%]

10 (1) $2e^{-0.1t} - e^{-0.2t}$

    (2) 15

    (3) 12.121

11 147.694

12 0.011

13 43,570.27

14 0.00368

15 0.094

16 (1) 해설 참조

    (2) 628.75

17 (1) 2,814,642.857원

    (2) V(경중)＝A*0.6/1.05+B*0.3/1.05,

       V(중중)＝ B*0.5/1.05

18 (1) 0.2

    (2) 0.196

    (3) 0.189

    (4) 531,432.922원

[저자약력]

이 항 석

서울대학교 수학과 학사
서울대학교 통계학과 석사
미국 University of Iowa 보험계리학 석사
미국 University of Iowa 보험계리학전공 박사
현 성균관대학교 보험계리학과/수학과 교수
　한국보험학회 이사 및 편집위원장, 한국리스크관리학회 이사,
　연금학회 이사, 보험계리사회 계리학연구위원장

권 혁 성

고려대학교 사범대학 수학교육과 학사
캐나다 University of Western Ontario 통계학(보험수리학) 석사
캐나다 University of Western Ontario 통계학(보험수리학) 박사
삼성화재 장기상품파트 근무
캐나다 Simon Fraser University-Visiting Associate Professor
현 숭실대학교 자연과학대학 정보통계·보험수리학과 교수
　북미계리사협회(Society of Actuaries) 준회원(ASA)

보험수리학 [제3판] - 정답과 해설 -

2014년 3월 5일 초판 발행
2018년 2월 25일 제2판 발행
2021년 9월 10일 제3판 1쇄발행

저 자 이 항 석 · 권 혁 성

발행인 배　　효　　선

발행처　도서
　　　　출판　**法 文 社**

주 소　10881 경기도 파주시 회동길 37-29
등 록　1957년 12월 12일/제2-76호(윤)
전 화　(031)955-6500~6　FAX (031)955-6525
E-mail　(영업) bms@bobmunsa.co.kr
　　　　(편집) edit66@bobmunsa.co.kr
홈페이지　http://www.bobmunsa.co.kr

조 판　(주) 성 지 이 디 피

정가 49,000원(본책+별책)　ISBN 978-89-18-91227-1